JN108049

好奇心と日本人

多重構造社会の理論

鶴見和子

藤原書店

鶴見和子『好奇心と日本人』に寄せて*

芳賀徹

『好奇心と日本人』のこと

ただいま黒田杏子さんからご紹介いただき、さきほど松居竜五さんが紹介してくださいました、芳賀徹でございます。藤原書店の社長、藤原さんから今日何かちょっとお話しせよと言われたときに、私は鶴見和子さんとそんなに親しく生涯にわたっておつき合いしたということはございませんでしたが、でもどこかで何遍もお会いしている。何だったろうなと思いましたら、鶴見さんが講談社現代新書で『好奇心と日本人』(一九七二年)という本をお出しになっておられます。この本の鶴見さんによる「あとがき」の中に、私の名前が二、三回出ていたことを私は覚えておりまして、ああ、そうだ、いろいろとあの前後はおつき合いがあり、御縁があった、いわば同僚でもあったということを思い出しました。

それで久しぶりに『好奇心と日本人』を探し出しまして開けてみますと、「あとがき」の中に、こういう本を書くきっかけとして、一つは、鶴見俊輔さんが好奇心の問題は面白いんだということを、しょっちゅうお姉さんのところにいらしては話していて、それが刺激であった。それからもう一つは桑原武夫さん——あの京都学派のボスで御大だった人ですね——が、日本人は非常に好奇心が強いのではないか、アジアの中でも最も好奇心が強かった民族ではないかということをおっしゃっていた、と。それから三つ目に、私が『「好奇心」』というテーマに絶大な好奇心を示し、ポール・アザールの『ヨーロッパの精神——一六八〇年—一七一五年』〔邦訳『ヨーロッパ精神の危機——1680-1715』法政大学出版局〕を読むことを勧めてくださった」。そして「一九七〇年二月二十七日、芳賀徹さんが招んでくださって、東大教養学部の研究室の小さなグループで、『「近代化」と「好奇心」』という話をした。そのあとで、お集まりくださった先生や学生の方々から、質問や批判がでて、たいへん参考になり、ありがたかった」と。その席に講談社の田代忠之さんという編集者が来ておられて、「この話を現代新書の一冊にまとめるようにと熱心にすすめてくださった。わたしは、これを一冊の本にすることは、思ってもいなかったので、正直にいって驚いたが、心が動いた」というようなことを書いていらっしゃいました。ああ、そうだった、ということをありありと思い出しました。

プリンストン学派としての鶴見和子

鶴見さんの「あとがき」の中にありました一九七〇年二月とはどういうときだったか。私は一九五〇年代から今に至るまでずっと、古いトランクの中に小さい手帳を五〇年代、六〇年代と束ねてとってあります。一九七〇年、私はちょうどそのころ駒場のフランス語比較文学の教師になって五、六年、七年ですか、経ったところだったので、白水社からフランス語系の教師ということで手帳をもらっておりました。これを毎年使っておりましたが、一九七〇年二月二十七日金曜日のところを見ますと、夕方四時から研究室で鶴見和子「好奇心と近代化　社会学的考察」という講演があった、ということが書いてありました。残念ながら、そのときまだ松居（竜五）君は生まれていなかったんじゃないか。

あのころ東大駒場の教養学科の中では、学科間の交流が非常に活発で、みんな親しくて、国際関係論、文化人類学、人文地理学、それから伊東俊太郎なんかがいた科学史科学哲学といったところの担当の教員や学生が一緒くたになって、よく研究会をしておりました。殊に一九七〇年代といいますと、日本の近代化についての研究が、まだまだ非常に盛んだったころですね。それで文部省の科学研究費かなんかをもらって、私が主宰でそういう研究会を連続して催していたのだと思います。そこに鶴見さんに来ていただいた。

それにしても、どうして鶴見さんを私は知っていたのか、そこがよくわからないんです。あのころ上智か東大か、それか東京都内のどこかでこの近代化の研究会が一カ月に一回ぐらいありましたので、そこで御一緒していたのだと思いますね。

『好奇心と日本人』という本を久しぶりに今回読み直してみますと、ああ、そうだ、鶴見和子さんもプリンストン学派であったと。戦後になってアメリカのプリンストン大学の博士課程に行かれて、戦前はヴァッサー・カレッジに行っていらっしゃった。大山巌の奥さん、会津の捨松さんと同じでした。大変美しくて、よく勉強した才媛ですね。あのころから、ヴァッサー・カレッジは日本にも縁が深かった。しかも、和子さんは昭和十年代にもう留学していらしたんですね。鶴見さんも、それから俊輔さんも、本当に恵まれていました。やはり鶴見祐輔のようないい家に生まれるというのはいいことですね。我々は祐輔といっと何か雄弁家という感じでしたが、そこにこういう才媛と秀才が出たというのは然るべくあるかなと思いました。で、お二人とも衆議院議員とか参議院議員なんかにならないでよかった。

着物姿の鶴見さん

さっきからお写真をここでずっと見ていますと、鶴見和子さんは本当にどのお着物でもきれいですね。それから今の松本（侑壬子）さんのお話と違って、着物はどの写真もみんな違っていましたね。毎回違う着物を着ていらっしゃる。そして洒落ている。この写真もいいですね。一九七〇年の二月二十七日に東大駒場の教養学部の比較文化の大学院に来てお話しくださったときも、やはり着物のお姿でした。どんな色であったかまでは覚えていませんが、とても品がよくて、かわいらしいところもあって、美しくて。かわいらしくない美しさというのはあまりよくないですけれども、両方がありまして、本当にチャーミングな方でした。我々は、そのチャーミングなところにもひかれていたんだと思います。ただごりごりの学者ではなくてね。「女高師を一番で出る御面相」なんて句が昔ありましたが、そんなんじゃなくてね、本当にいい方でした。

私はすぐおそばでお話を聞いていたんですが、あまり香水のにおいなんていうのはしなかったですね。着物が美しい。よくお似合いで、しかもそれを本当に着こなしていらっしゃる。立ち居振る舞いもすっ、すっと行って。松本さんのお話にあったように、裏が繕ってあったなんて、全然我々は知りませんでした。いいなと思って。それで、社会学である、と。

社会学のまどろっこしさ

あのころ東大でも、女子学生のちょっと優秀なのは、みんな文学部の社会学科に行きたがった。私が教えた中でも、割合いい女子学生が社会学科に行っていました。ところが、社会学というのはやたらに間口を広げるんです。この本の中でも、この当時のアメリカで盛んだった日本近代化論、それからその近代化の動因とは何か、それから好奇心に関する社会学の面からの研究書、それも随分たくさんあって、なるほど、鶴見和子も社会学流だったなと。少し引用が多過ぎますね。そしで、もっぱらアメリカ系ですね。これはヴァッサー・カレッジから、プリンストンですし、それからカナダのバンクーバーのUBC（ブリティッシュ・コロンビア大学）に行ったりなさったので、欧米系であることはやむを得ない。それでも、どれも結構面白いんですが、あまり列挙なさって、こちらが読んでいるとまどろっこしいところもちょっとありました。これは、社会学のまどろっこしさですね。社会学の富永健一先生なんていうのは、おしゃべりでおしゃべりで、しゃべりだすととめどがない。で、堂々めぐりをやっているところがありました。

プリンストン時代の思い出

考えますと、私も、東大駒場の教養学部のフランス語の教師に採用されて二年たったところで、一九六五年から六七年まで、マリウス・ジャンセン教授に招かれてプリンストンに行っておりました。駒場は、何かそういうところはよかったですね。教養学部のフランス語の教師が、日本近代化研究のためにアメリカのプリンストンに行くというのはね。今では、ちょっと難しいのではないでしょうか。フォード財団がお金を出してくれて、いよいよ行くことになりましたときに、そのことを外国語の研究室でちょっと言いましたら、その辺にいたドイツ語の私より五、六歳上の助教授が「ああ、おまえもついにアメ帝のヒモになるか」なんて言った、そういう時代です。「アメ帝」というのは、アメリカ帝国主義ですね。それに飼われちまうのか、ということだったんです。

しかし、全然そんなことはありませんでした。フォード財団には会ったこともない、お金をくれているだけで。あとは全く自由に二年間、特に徳川日本の文化史の研究をすることができて、私にとっては生涯最もいい、充実した勉強をしたのは、あのプリンストンの二年間であったと思います。平賀源内を読んだり、伊藤若冲の絵を見たり、与謝蕪村の全集というこんな分厚いものがあることを初めて知って、それに夢中になったり。それから鈴木春信の浮世絵、あれもすばらしいなんて。日本を離れてプリンストンにいて、古きよき日本へのノスタルジアのような思いも込めてそういうものを読みました。上田秋成の小説も面白かった。芥川龍之介なんかよりもはるかにいいや、なんて思ったり。本当にそうですよ。それから杉田玄白、前野良沢、あの辺もよく読みました。本当に充実した二年間でした。

役に立たない好奇心——ヴェブレン／ホイジンガ

そこから帰って間もないころに、鶴見さんとプリンストン学派、プリンストン一門ということでお会いしたのか、もっと後で、プリンストン関係の人が集まってパーティーをやったこともありました。その中の御大は、丸山眞男さん御夫妻でしたね。丸山さんは私に向かって「君は何か、放蕩息子の帰還だな」なんて。どういう意味だかいまだによくわからないですが、そんなふうに言われました。何かいいことにばかりめぐり合って、味わってきて、それでまた日本にいい時代に帰ってきて仲間たちとにぎやかにやっている。多分うらやましかったんでしょうね、丸山さんも。自分はいじめられたりなんかして、思想史の勉強ばかりしていた人ですから。

さて、そういうことで鶴見和子さんにお目にかかった。そしてあのお着物姿。洋服姿というのは全然覚えておりません。上智にも伺ったように思います。私がプリンストンにいたとき三輪公忠さんという方がいて、この方が上智の出身で、やがて日本に戻ってこられて、上智大学の国際関係論の教授になりました。松岡洋右のことなんかを研究なさっていた人でした。それで、お招きしたのだと思います。

『好奇心と日本人』、これは中身に入っていくと、これから講義が一時間半ぐらいになりますのでやめますが、初めの方はソースタイン・ヴェブレンでしたか、昔、岩波文庫の『有閑階級の理論』という本なんかが、社会学的な考察として翻訳されておりました。そのヴェブレンにも好奇心についての本があって、それを鶴見さんはちゃんと使っていらっしゃいます。このヴェブレンが、“idle curiosity”ということを言っている。idle は怠け者、だから「何の役にも立たない好奇心」。それで金もうけになるとか、都民ファーストで当選するとか(笑)、そういういいことはないんです。ただ、知的なことを調べることが、知っていくことが面白くて、その道に入ってしまう。その好奇心をヴェブレンは語っている。これはやっぱり鶴見さんも非常に面白かったらしく、共感していらしたらしくて、かなり詳しくこの現代新書の中に触れておられます。idle curiosity、いい言葉ですね。役に立たない、徒然の好奇心ですね。

それからこれで思い出しましたのは、オランダの学者のホイジンガ。あの中にも『ホモ・ルーデンス（遊ぶ人）』という本がありました。あれもっぱら、何の役に立つのでもない、ただ知的に、それから心情的にひかれて深入りしてしまう好奇心を扱っています。これは中世ルネサンス期のイタリアからドイツ、フランスあたりの王侯貴族も皆そうでした。いろんな動物を調べたり、魚を調べたり、貝を集めたり、植物を集めたり、それから動物では、アフリカやインドから大きな象とかキリンとかを持ってきて、自分の宮殿の庭に飼ったりしていたんですね。その名残が動物園になる。そういうのが大事なんだと。

マリウス・ジャンセンと坂本龍馬

私は、ヴェブレンよりもこのホイジンガの論が非常に面白くて、こういうことに刺激を受けて、自分もやがて徳川文明の研究をするようになっていきました。私をプリンストンに呼んでくださったのは、『坂本龍馬と明治維新（Sakamoto Ryoma and the Meiji Restoration）』という本当の名著を書いたマリウス・ジャンセン、プリンストン大学の近世・近代日本史の教授でした。ジャンセンという姓はオランダのヤンセンであって、この人はホイジンガなんかオランダ語の原語で全集を持っていて、それで読んでいる。戦争中はプリンストン大学にいて、中世のトマス・

アクィナスにおける時間の観念とか、そういうことを卒論にするつもりでいたら、優秀なものだからリクルートされて、日本語を専門にする情報将校になったんですね。サイデンステッカーとかジョン・ホールなんかもそうでした。それで日本研究に入って、結局沖縄まで来たりしたんですが、帰ってから今度はハーバードのライシャワーさんのところに戻って、そこで「日本人と孫文（The Japanese and Sun Yat-sen）」という博士論文を書く。

それから何年かして、ちょうど私がプリンストンに招かれる少し前のころに、*Sakamoto Ryoma and the Meiji Restoration* という本をプリンストン大学出版局から出しました。私はある歴史の専門の雑誌からこの書評を頼まれまして、四〇〇ページぐらいの本を、あのときは一晩一〇〇ページぐらいずつ読んだんですね。面白くてね。土佐の郷士であった坂本龍馬が、江戸に出て剣道をやる。それからうろうろして水戸の浪士たちとつき合い、やがて勝海舟に会う。そうやって次々にめぐり会いを重ねるたびごとに、彼の世界に対する認識が広がっていく。彼の政治的なステージがだんだん上がっていくほど、視野が広くなる。田舎侍で、背中まで毛むくじゃらの、この間大関になり損ねた高安って相撲取りみたいな、ああいう感じだった坂本龍馬が、ついに勝海舟と一緒になり、薩摩の西郷や長州の木戸孝允と一緒になって薩長連合をつくり、討幕運動をやり出す。彼は、決してただ「幕府を倒せ」じゃなかった。あのころは幕府の方がはるかに先進的でした、薩摩、長州なんかの田舎よりはね。で、それと一緒になって、坂本龍馬は近代化をやるつもりだった。彼は非常に物事を単純に考えるただの剣士だった。江戸のどこかの道場で有名だったとか、そういう剣士だったのが、だんだん遠くまで見える、中岡慎太郎なんかと一緒に世界まで見渡すことができる、マン・オブ・ハイ・パーパス（man of high purpose）、「志士」となる。これをマン・オブ・ハイ・パーパスと訳すのはジャンセンさんの本で初めて知って、ああ、いいなと。高い志を持った男です。いい言葉ですね。

それから龍馬は、若いころは simplest solutions to complex problems——複雑な問題を単純に片づけようと思っていた。そこからだんだん抜けていき、世界が見えて、社会というものをよく知り、これから行くべき日本の道を考えるようになっていく、その過程をソフィスティケーションと言っていました。それもいい言葉ですね。純粋、素朴で、やたらに悲憤慷慨するのではなくて、よく考えるようになっていく。ちょっとずる賢くなっていく。それをソフィスティケーションと言っている。そういうことが次々出てきて、このジャンセンさんの『坂本龍馬と明治維新』というのは大変な傑作、面白い本でした。

この本の翻訳は時事通信社から出ました。ジャンセンさんもお世話になった、土佐の坂本龍馬の専門の方が訳したものですから、坂本龍馬のお姉さんに宛てた面白いやんちゃな手紙が、何か真面目な手紙になっちゃった。マリウス・ジャンセンの英語では、ちょうどあのころ始まりかけていたアメリカの大学紛争の闘士たちが権力に向かってうわーっと言っている、ああいう調子がちゃんと出ていまして、実に生き生きとした坂本龍馬でした。私は、死ぬ前にもう一回あの本を訳し直してみたい。

神話的好奇心

それから鶴見さんの本の後の方には、日本神話や世界神話におけるパンドラの箱、開けちゃいけないと言われているものと開けたくなる好奇心。それから、先に死んでしまったイザナミノミコトを訪ねるイザナギノミコトが、イザナミノミコトに見つかって、後でいろいろ追っかけられたりする話、あれもいわば好奇心の発露であると。どうしても玉手箱を開けてしまう浦島太郎の話なども、好奇心になるだろうと思います。ああいう好奇心というのは、人間にもともとあるものだと。人間の子供たちが、だんだん自然を、世界を、自分の家族を知っていく。あれも好奇心の働きです。それから、好奇心というのは原始時代からどの民族にもあって、それがだんだん民族を進展させていく。だから好奇心というのは人間にとって本当に根本的な、大事な感情の働き、鶴見さんは情動だと言う。ただ単に知的なのではなくて、感情を込めている。それから一種の本能が入っている。そういう、シャーマニズムにつながるような好奇心だというふうに論じていかれる。

最後の方の二章ぐらいになると、日本の古い民話、「鶴女房」もそうですね。ああいう話がいろいろ出てくるようになる。

漂流民と本草学

それから、ここでいよいよ本筋に入ったなと思ったのは、漂流民の研究でした。大黒屋光太夫は、何でもない伊勢の白子の浜の船頭であったのが、カムチャツカの列島に流れ着いて、それから十年近くロシアで暮らし、その間にエカテリーナ女王に拝謁して、女王から面白い日本人だと思われて、特別に許しが出て、ついにラクスマンの艦隊と一緒になって一七九二年に根室に帰ってくる。帰ってきてからは、ちょうどそのころ蘭学が活発になっていたので、桂川甫周が大黒屋光太夫の話すロシアの話を書き取って『北槎聞略』(聞き書きメモ)という大きな本を出した。日本の一漁村の漁民がいかに知的好奇心を発揮して、自分にとって全く未知の、むしろ恐ろしいような国であるロシアの、政治経済、交通、男女の風俗から、食事、言語、宗教に至るまで、実によく詳しく見聞し、それを桂川甫周に語ったか。そして桂川甫周もそれを面白がった。岩波文庫に入っていますが、ずいぶん分厚い、たくさん挿絵も入った面白い本で、ロシア研究の一番の書物ですね。あれを読まなきゃ、今のプーチンも何もわからないというと、ちょっと大げさですが、そんな感じの本です。あれは本当に好奇心の発露でした。

そういう好奇心の発露をした漂流民というのは、いろいろいました。私は、ああ、この辺に来ると私の領分だなとちょっと安心したわけですね。鶴見さんにこれだけ先を越されていたわけですが。貝原益軒は大黒屋光太夫の数年前、元禄時代の博物学者、本草学者ですが、その『大和本草』(一七〇九年)なんて、とても大きなものです。中国の李時珍の『本草綱目』という本が入ってきて、それをもちろん貝原益軒は使っているんですが、それを超えて、では日本ではどういう動植物があるか、それをくまなく調べて自分で、手書きで原稿を書いた。それを、彼が死ぬ五年ぐらい前に本にして出したわけです。稚拙だけれども、絵も入っている。ああいう博物学なんていうのも、本当に知的好奇心、好奇心の発露がある。

さきほど言ったホイジンガは、ルネサンス以後のヨーロッパの王侯貴族の中にも無償の好奇心というものがあって、遊び心というのは文化を促進するのには最も重要な働きなんだということを書いていて、なるほど、面白いなと思いました。まさにそれに導いていくようなのが、貝原益軒の『大和本草』でした。日本の博物学——本草学とか物産学ではなくて、本当に、ただそこに物があるからそれを調べるという博物学ですね。まだリンナエウス（カール・フォン・リンネ）のように正確に分類することはしませんでしたけれども、そのかわりやたら集めてきて面白がる。そこには漁民も農民も絡め取られて、漁民、農民からのいろんな情報も入ってきた。平賀源内も、それをちゃんと使ってやりました。それから諸国の大名たち、薩摩や肥後の細川家、それから平賀源内が仕えていた香川の松平家、それから富山の前田家といったところの人たちは、町の商売人も一緒になって、それから旗本も普通の侍も一緒になって、大名も一緒になって、貝の研究なんかをやるんですね。十八世紀の末から十九世紀の初めですね。それがすばらしい画集になっている。まるでオディロン・ルドンのパステル画のような、実にきれいな、えも言われず美しい貝類図です。貝という字は、上と下と分けると目と八なので、『目八譜』といいます。こういうところが江戸の洒落ですね。そういうのがずっと広まり、幕末まで続きました。これは日本の大変な宝でした。

新井白石の好奇心

ヨーロッパでもアメリカでも、同時代の十八世紀は異様にこのナチュラルヒストリーが盛んだった時代です。第三代アメリカ大統領、トマス・ジェファーソンもそうでした。それからビュフォンもそうでした。それからスウェーデンのリンネは、もちろんその中の先端的な分類学者でした。そういうことを含めて、同じ時代に同じように自然の研究がぐっと進んだ。これも、もともとは純粋な好奇心、idle curiosity ですね。無償の好奇心の発露だった。そういうことをまた改めて、この鶴見さんの本を読んでいくうちに思い出しました。

新井白石がシドッチを尋問しました。イタリアから来たイエズス会の英雄僧、修道士です。彼を、当時の日本の最高の知識人である新井白石が迎え撃って、すぐ小石川の小日向の松平家の武家屋敷で、非常に丁重に尋問した。新井白石自身も好奇心満々の人ですから、面白くてしょうがなくて、自分がわかっていることでももう一回シドッチに言わせたりしている。白石はわかっているのに「ローマってどこだい」なんて訊くと、シドッチが「コンパスというものがあればわかるんですが」なんて。ブラウの描いた大きな地図、これはいま東京国立博物館に残っていますが、それを広げて「コンパスがありますか」と言うと、新井白石が「おう、ちょうど持っている」なんて言って懐からコンパスを出して、シドッチにやらせる。そうするとシドッチがコンパスで測って「ここです」なんて指す。白石がのぞいてみると、ちゃんとローマだと。あれは二人で芝居をしたんですね。周りの奉行たちを感服させるために。だってローマぐらい、地図見りゃわかるじゃないですかね。それをシドッチはわざと江戸からコンパスで何百マイルとやっていって、ここでしょうと。今度は逆に、江戸はどこだなんて訊けば、ここだと。今ブラウの世界地図を広げると、シドッチが刺したコンパスの穴があいているんじゃないかと思って、それを一度確かめたいと思っているんです。

杉田玄白の好奇心

それから、杉田玄白が『ターヘル・アナトミア』という本の翻訳に携わった。あれも初めは、どうせ俺はオランダ語をやってももうだめだと言っていたが、ああいう本に載っている、西洋から来た外科書の絵を見ていると何だか面白い。自分の知っているのと随分違う。おやおや、不思議だな、と。大体銅版画で載っていまして、ずいぶん精密に出ているなというので読んでいくと、だんだん欲しくなる。だんだん好奇心が目覚めていく。殊に絵を見ていると、胸の中がすっと開けていくような気がした。啓蒙というのは、まさにこういうことですね。頭の中の、胸の中の、蒙を啓く。それまで蘭方医者として、何かよくわからない、どこかいんちき臭いなと思っていたもやもやが、ああいう図面を見て、解剖書を見ていくと、ふと啓けていく。雲散霧消していく、そのうれしさ。これはやっぱり好奇心ですね。これを杉田玄白の『蘭学事始』という回想録は、実によく書いています。その背後には、時代の緩やかな変化もある。見事な歴史書であり、自伝です。偉いものですね。

吉田松陰の好奇心

それから吉田松陰です。ペリーの艦隊が嘉永六年（一八五三年）に初めて浦賀沖に来て、次の年、安政元年（一八五四年）にもう一回来た。そして日米和親条約を結んだ。その後に、吉田松陰はこっそりと江戸から伊豆の下田まで歩いていって、そこで金子重之輔というお弟子を一人だけ連れて、そのポーハタン号、ペリーが乗っている軍艦に乗り移ろうとする。あれも必死の好奇心ですね。必死の好奇心というのはおかしいけれども、まさにそうです。とにかくアメリカという国に行ってみたい。アメリカという国に行って、西洋という夷狄の世界を知ってみたい。その夷狄の世界を知ることによって、この夷狄を打ち払いたい、と。それで、ポーハタン号に吉田松陰が上っていったときには、「吾ら、米利堅に往かんと欲す」と紙に書いて、それをぶら下げていったんですね。それをカンテラで照らされて。それから一時間か二時間ぐらい、アメリカ側の通訳が入っていろいろやりとりして、結局「今おまえたちを連れていくと日本の法律を犯すことになるから、連れていくわけにはいかない。お前たちを岸辺に送り返すからそれで帰れ」ということを言った。あの幕末の人たちの強烈な好奇心は見事です。鶴見さんはそこまで言っていないので、やれやれ、ようやく私の自分の出る幕ができたなと思っているんです。

岩倉使節団と『米欧回覧実記』の文学性

新井白石以来、徳川時代を通してだんだん蓄積されて、いよいよ緊張度が高まっていった好奇心、それを一気に吐き出したのが、明治四年に横浜港を出帆した岩倉使節団です。これこそ前代未聞、空前絶後の日本人の知的好奇心、知的探求心の大結晶であり、発露であった。明治四年十一月に出て、明治六年九月に帰ってきた、一年一〇カ月に及ぶ徹底した見聞録です。アメリカとヨーロッパの文明の歴史とその現場、動物園、植物園、あらゆる工場、それから軍隊、軍港、大学、図書館、博物館、美術館、名所旧跡、そういうところまでみんな回って、しかもそれを『米欧回覧実記』としてまとめた。いま岩波で五冊の本になっています。

あれこそ福沢諭吉に負けない文学だと私はいつも言っているんですが、国文系は全然だめですね。本郷国文系は、文学というと二葉亭四迷だとか、坪内逍遥だとか、島崎藤村の詩だとか、あんなつまんないのが文学だと。それに比べれば岩倉使節団の報告書の方が、はるかに緊張があって、発見があって、喜びがあって、それから自分の国、日本のこれからの進展、発展に対する憂いがあり、恐れがあり、それから希望もあり、それらがみんな混然として、調子の高い漢文読み下し体で書かれている。音吐朗々と読むだけで、今でも元気になってくる。杉田玄白だって新井白石だって、声に出して読んでみると、こちらが励まされますね。この鶴見さんの本を読んで、そんな歴史があるんだということには、鶴見さんは触れていないというので一安心したわけでした。

西欧近代を動かした好奇心

鶴見さんがプリンストンに行かれたときの社会学の先生、マリオン・リーヴィは、私もよく知っていました。いつも、大きな、牛みたいな犬を連れて、自分の研究室まで来る。変にボスばって。一方、さっき言いました日本史のマリウス・ジャンセンの方が、はるかにスマートで、シャープな感じで、マリオン・リーヴィは何か気に食わない男だなと思っていましたが、鶴見和子さんはその先生のもとで博士論文を仕上げられた。そのお話を何遍も伺いました。だから、プリンストン時代にお目にかかったことはありませんけれども、プリンストン系ということでどこかでお目にかかっていたわけです。

それから、さきほど鶴見さんの文章に出てきましたポール・アザールの『ヨーロッパの精神

——一六八〇年—一七一五年（La Crise de la conscience européenne（1680-1715））』、これは私が東大の学部のころから読んでいた本で、あちらこちらに赤が引いてありまして。中にちょっとこの、あめ玉の紙が挟まっていて。非常にいい本なんですね。一六八〇年から一七一五年、ちょうど享保年間に当たりますが、そのころにどんなふうにヨーロッパ人のものの考え方、感じ方が急激に変わったか、その急激な変化のことをクライシス（La Crise）と言っているわけです。最初のころは宮廷お雇い詩人ボシュエのように、いつも人々は上下関係で、ハイアラーキーに沿って物事を考えていた。ところが一七一五年ごろになると、もうヴォルテールが登場してきて、ホリゾンタル（水平的）にものを考えるようになる。

それからこの時代の初めのころ、古典の時代は、パスカルのように、じっと自分の密室の中にこもって人間の永遠の運命を考えたりすることに沈潜していた。ところが十八世紀に入ってくると、人々は一斉に動き出す。あちこちを旅行して、好奇心を満たす。そういう大旅行の時代です。つまり、好奇心に促された不安定な、不安の時代が始まった。それが近代というものです。それがヨーロッパ的な考え方、感じ方の非常に大きな変動であったという本。これが私は面白くてそのころ読んでいたので、鶴見さんにも何遍もかなりうるさく言ったらしいですね。そこに動いていたのは好奇心であるということで、鶴見さんもそれを感じていった。それで研究をなさった。

鶴見さんは、しかしフランス語があまり得意じゃなかったようで、このポール・アザールは英訳の *The European Mind*（Yale University Press）でお読みになったようで、この中でも二回か三回引用していらっしゃいます。

好奇心ということで鶴見さんから私が受けたのは、非常に良い励まし、知的刺激でした。そして、本当にお美しい方でした。

（はが・とおる／一九三一―二〇二〇年。国際日本文化研究センター・東京大学名誉教授。比較文学・近代日本比較文化史）

＊編集部注　本講演は、二〇一七年七月三十一日、鶴見和子さんの命日の集い「山百合忌」（於・山の上ホテル）で行なわれたものである。当日は、松居竜五氏（龍谷大学教授）と松本侑壬子氏（映画評論家）のお話、及び生前の鶴見さんの映像・写真の映写のあとで、芳賀氏が講演を行なった。

好奇心と日本人

目次

鶴見和子『好奇心と日本人』に寄せて　芳賀 徹　1

第一章　日本人の好奇心　33

第二章　好奇心の社会学　71

好奇心と日本人

多重構造社会の理論

凡例

一　本書は、鶴見和子『好奇心と日本人――多重構造社会の理論』（講談社現代新書、一九七二年。『コレクション鶴見和子曼荼羅　Ⅲ　知の巻』藤原書店、一九九八年に再録）に、未公刊の芳賀徹氏の講演録を付したものである。

一　底本は『鶴見和子曼荼羅』版を用いた。明らかな誤字は訂正した。

一　注において『コレクション鶴見和子曼荼羅』の各巻を参照する際は、『曼荼羅』と略記した。

第一章　日本人の好奇心

一　なぜ好奇心をとりあげるか

普遍的情動としての好奇心

日本人は好奇心の強い国民である、そのために、日本の近代化は速度が早かった、しかし、早かったためにかえってうわっつらの近代化でしかなかった、といわれている。わたしたち日本の社会および日本人は、表層は近代ないし超近代である。しかし、その表層をひと皮むけば封建時代の人間関係や考え方がむき出しになるし、さらにより深いところには、古代および原始の社会構造や心性が生きて働いている。

現代日本の社会と人間の内側に、古代人の心性を発掘したのは柳田国男であった[1]。そしてまた、日本人の好奇心について多くを語り、好奇心を学問の方法として使いこなしたのも柳田であった。好奇心が強いために日本の近代化が速く進み、しかし同時にうわっつらでしかなかったとすれば、好奇心は日本の近代化にとって、プラス価値とマイナス価値との両面をもたらしたといえる。柳田が、かれが生きた時代の日本の社会と人間について、かれが好ましくないと考えた側面を批判し、さらにその好ましくない面を越えてゆく方法を、日本の伝統そのものの中に求めようとした態度から、わたしは学びたいと思っている。好奇心が強い、ということが、原始、古代からのわたしたち日本人の一つの顕著な特徴であるとしたら、そこから生じるマイナス面を乗りこえることもまた、この好奇心の働かせ方によって可能になるかもしれない。これが、わたしが好奇心をカギにして日本の社会と人間とを考えてみようとする第一の理由である。

しかし、日本人だけが好奇心を持っているわけではない。好奇心は、人間にとって普遍的な情動である。ただ、それぞれの社会の歴史や風土や社会構造のちがいによって、好奇心の発動される対象がちがい、また好奇心の強弱や、永続性の度合がちがってくる。日本人が好奇心が強いとすれば、それは、第一に日本が島国であるという地理的条件に関連があるだろう。第二に、歴史的に、開国・鎖国・開国・鎖国・開国という政策の交替が、多かれ少なかれくり返されてきたためであろう。そして第三に、わたしが多重構造型社会と特徴づける社会構造によって、触発され、促進されてきたのであろう。

このように、好奇心の強さは、日本の風土や歴史や社会構造によってはぐくまれたものではあるが、同時に、社会構造を変動させるエネルギー源でもあったのではないか。もしそうだとすれば、将来にむかって起こりうる変動をも予測する一つの手がかりを、日本人の好奇心に見出すことができるかもしれない。これが第二の理由である。

「いき」と「甘え」

日本人は好奇心が強いとは、とくにアジアの他の国民、たとえば中国人やインド人とくらべたときにいわれる。そして日本人の好奇心の強さが、よかれあしかれ日本の近代化の量と質とに関連するとすれば、好奇心の研究は、近代化の国際比較の一つのカギを提供することができるかもしれない。中国やインドとの比較は、この本の範囲をこえる。しかし、いずれは社会変動の国際比較の枠組として、情動の型の比較をしてみたいと思っている。これはそのための初歩的な一歩である。これが好奇心をとりあげる第三の理由である。

一つの社会の中の人間の、比較的長期にわたるパーソナリティ構造を考える時に、理性的認識の側面よりも、情動（＝動機づけの体系）こそ、より変わりにくい、したがって永続性のより高い側面だと考える。社会的事件の衝撃や、教育や、読書や、友人の影響などによって、イデオロギーは、比較的早く変化することはあっても、愛と憎しみのパターンは、イデオロギーの変化ほどに早い速度で変化しない。おなじことは、一つの社会の文化型についてもいえる。もののの考え方は比較的急激に変化することがあっても、感情のパターンには、むしろより多くの一貫性がある。その意味で、一般的にいって、社会構造の国際比較をするためには、その社会の人間の情動のパターンを研究する必要があるとわたしは考える。

日本人の場合、理性的判断によってよりも、直接に情動によって行動を決する傾向が、たとえば中国人やインド人などとくらべて、より大きいといわれている。そのためになおいっそう、日本の社会と人間とを考える場合に、情動の研究をぬきにすることはできない。日本人の情動については、九鬼周造の『「いき」の構造』[2]と、土居健郎の『「甘え」の構造』[3]という、二つの古典的名著をわたしたちはもっている。この二つの情動が、一対をなしているのが現在のわたしたちの情動の基本型だと考える。

『「いき」の構造』は、歴史的に限定された社会の構造——江戸時代の封建社会——と情動との関係を分析した。『「甘え」の構造』は、古代から現代に至るまでのより長い歴史の中に、底流として一貫して流れている情動を明らかにすることに成功した。この二つの独創的な研究によって、日本人の基本的情動の型はあますところなく洞察されてしまった。

好奇心は、おそらくは「いき」にも「甘え」にもむすびつけることのできる、第二次的情動ということができる。にもかかわらず、好奇心に焦点をあてることに意味があると思うのは、好奇心は、変化を結果として招きがちな情動だからである。意識して変化を達成するというよりも、好奇心の発動によって、人間関係に変化が生じる、という傾向をもつ。好奇心は、社会変動の説明仮説となりうる情動である。これが、わたしが好奇心をとりあげる第四の理由である。

二　この本のすじ書き

好奇心の周辺

まず内外の観察者たちが、どんなふうに日本人の好奇心に注目したか、いくつかの例を紹介することによって、日本人の好奇心の特殊なあらわれ方を考えてみる（第一章）。

つぎに、好奇心についての一般論を、アメリカの社会学者および日本の学者がどのようにあつかってきたかをのべることによって、好奇心が人類に普遍的な情動であることを指摘する（第二章）。そして、好奇心の類型、度合の測定をするとしたら、どんな具体的な指標を使うことができるかを考察する（第三章）。

第一～三章は、わたし自身の仮説を提出する第四章への導入として読んでいただきたい。

第四章では、日本の近代化を、多重構造型として特徴づけ、また、多重構造型が、日本の社会変動の一貫したパターンであったことを論じる。そして、好奇心が多重構造型社会でとくに刺激され促進されるという仮説を展開してみたい。日本の歴史における開国と鎖国との政策の交替が、好奇心の保存と強化に影響したこともあわせて考えてみる（第四章）。

第五章は、第四章の仮説の事例研究への応用である。日本文化の中の「のぞき」ということの意味を考える。多重構造型社会が、「のぞいてはいけない」というタブーを作り、「のぞきたい」という欲求をかりたて、「のぞく」というタブー破りの行動を誘発しやすいという仮説である。このことを、異類婚姻譚における日本の場合と、中国の場合との比較によって、あとづけてみる（第五章）。

「のぞいてはいけない」というタブーが、外国に向かって発動したのが鎖国である。鎖国は、意識的な反抗ではなく、無意識の違反行為としての漂流をもたらした。数多い漂流者のうちで、生き残り、しかも日本にかえりついたものの数は少ない。しかし、かれらの残した記録は、おどろくほどくわしく、生き生きと外国の民俗、風物、言語について語っている。わたしはこれを一つの好奇心の発動と考える。これら漂流者のもたらした見聞は、鎖国政策を打ち破る一つの契機になっている。また、かれらが、気がついたら国境を越え、国禁を犯していた、という行為のなかに、社会変動への日本人の行動の一つのパターンを読みとる。

好奇心は多重構造型社会によって触発され、養育された情動ではあるが、それがかえって、多重構造型社会における固定した上下関係を、たとえ意識的にではないにしても、結果として底から揺り動かしてゆく効能をもつのではないか。好奇心は、国内でも国外でも、ヨコの連帯を生み出してゆく力になれるのではないか。そのような将来への可能性をふくめて、考えてみたい（第六章）。

これがこの本のあらすじである。

もっとも古い動機づけの体系

わたしは三年ばかり前に、つぎのように書いたことがある。

「人間のパーソナリティ構造の、もっとも深層にある、そしてそれは、おそらくその人の属する社会の、もっとも古い型を代表するであろう、動機づけの体系に深くかかわり、その動機づけそのものの方向を転化させるような仕方でなければ、成人した人間の思想に、長つづきのする変化をもたらすことは、できにくいのではないか。いいかえれば、もっとも古いものに相渉(わた)るのでなければ、人間は、新しくなることができない、ということである[4]。」

「もっとも古い動機づけの体系」の一つとして、わたしはこの本の中では好奇心に光をあてようと思う。日本人にとって、好奇心こそが唯一の「もっとも古い動機づけの体系」だといっているのではない。それは、他のさまざまな日本人の情動の中の一つである。好奇心についての仮説をすじ書きとして、日本人および日本社会を読みこんでみると、もしかしたら、自前の社会変動のパターンが、おぼろげながらさぐり出せるかもしれない。

三　西洋人のみた日本人の好奇心

鉄砲と切支丹

日本文化史の研究で名高いイギリス人の歴史家、サー・ジョージ・サンソムは、十六世紀の日本人の好奇心が抜群であったことを明快にのべている。

一五四二年に日本に漂着したポルトガル人は、日本に火縄銃をもたらした。この火縄銃が日本人を極度に昂奮させ、日本人はかれらを好感をもって迎えたと伝えられている。作り話とは思えないこの事件は、十六世紀の初めの日本文明の性格を象徴しており、インドや中国の文明から日本のそれをきわだたせるものである。インドや中国の住民たちは、はじめてポルトガル人と出あったとき、ポルトガル人の持っていた兵器に特別の関心を持たなかったと伝えられ、またかれらを粗野な野蛮人以上のものとは見なさなかったといわれている。……外国人の遇し方について、日本がその他のアジア諸国と違うことは、若干の説明を要する。日本人が客もてなしがよく、礼儀正しい友好的な国民であって、新しいものを学ぶ非常な好奇心をもっているということは、事実だといってよかろう。そしてこのことが、ヨーロッパからの新来者に対して日本人が示した態度をうまく説明してくれる。(5)

一五四九年に日本に渡来したスペインのイエズス会士フランシスコ・デ・ザビエルは、その書翰の中で、山口におもむいたときのことを、つぎのように記している。

神の御憐れみの大いなる事を示すためには、日本人は、私の見た他の如何なる異民族よりも、理性の声に従順の民族だ。非常に克己心が強く、談論に長じ、質問は際限がない位に知識慾に富んでいて、私達の答に満足すると、それを又他の人々に熱心に伝えて已まない。地球の円いことは、彼等に識られていなかった。その外、太陽の軌道に就いても知らなかった。流星のこと、稲妻、雨、雪などに就いても質問が出た。(6)

ザビエルは、日本人の知識欲の旺盛なことを、「異民族」とくらべている。この「異民族」とは、インド、セイロン、マラッカ、ゴア、マレーなどの各地でザビエルが出会った人々のことをさしているのであって、中国人は含まれていない。かれは日本から中国へ渡って布教しようとして、志なかばで広東に近い三洲島で客死した。

シナは大きくて平和であり、かの有名な法律によって、支配されている国である。……このシナ人は、賢明で、勉強家であり、特に国を治めるための法律を研究する。識ることを非常に望む人々である。一般に白い人種で、髭(ひげ)がない。眼は非常に小さく、心は寛大で、甚だ静粛である。彼等の中に戦争はない。私は若し、この印度に、今年、一五五二年、出発を妨げる故障がなければシナへ往くつもりだ。何故なら、これが日本とシナとに於て、我が主の大いなる奉仕になるだろうと思うからである。というのは、シナ人が神の掟を受入れたと識るなら、日本人は自分の宗旨に対する信仰を、間もなく、失ってしまうだろうと考えられるからである。私は、我がイエズス会の努力によって、シナ人も、日本人も、偶然を捨て去り、神であり全人類の救主なるイエズス・キリストを拝するようになるという、大きな希望をもっている(7)。

サンソムは、中国人やインド人に好奇心がなく、日本人のみ抜群の好奇心を示したと書き、ザビエルは、日本人だけでなく中国人もまた「識ることを非常に望む人々である」と大きな期待をよせた。そして、むしろ中国人をキリスト教に教化することができれば、日本人はその影響を強くうけて教化しやすくなるだろうと判断している。両者が論じているのはほぼおなじ年代である。両者の中国人の知識欲ないしは好奇心についての観察は大きくくいちがっているが、日本人のそれについては一致している。

アーネスト・サトウの見聞

幕末から維新への転換期に日本に滞在し、「日本語を正確に話せる」イギリス人外交官として活躍したアーネスト・サトウは、大坂を貿易のために開港させる交渉に出むいた時の様子をつぎのように語る。

午後には全艦に上陸の許可が出た。多数の士官が、この機会を利用して、当時ヨーロッパ人にとってまだ一般に未知な土地であった大坂の府を見物したのである。提督とハリー〔・パークス〕卿と私は、この市の端から端まで歩いて見た。住民の群れがついて来たが、私たちに対してはなはだ好意的であることがわかった。

このような住民の好意的態度は、大君の役人があらかじめ当方に警告していたものとは、全く違ったものだった。大君の役人たちは常に、大名たちは外国人に敵意を持ち、一般の住民もまた外国人を嫌悪し、これに恐怖の念をいだいていると語っていたのだ。ところが、われわれは、いずれの階級の人々からも好意的態度以外の何ものをも示されなかったのである。(8)

町人だけでなく、サムライもまた、「自分の国に対する外国の政策を知るため、または単に好奇心のために」、サトウのいた横浜へ、「よく江戸からやってきた」のである。

私の名前は、日本人のありふれた名字〔佐藤〕と同じいので、他から他へと容易につたわり、一面識もない人々の口にまでのぼった。両刀を帯した連中は、葡萄酒や、リキュールや、外国煙草をいつも大喜びで口にし、また議論をとても好んだ。彼らは、論題が自分にとって興味のあるものなら、よく何時間でも腰をすえた。政治問題が、われわれの議論の主要な材料であった。時として、ずいぶん激論することもあった。私は常に、日本の現在の制度の弊害を攻撃した。諸君には大いに好感をもつが、専制制度はきらいだと、よく言ったものだ。訪問者の多くは、大名の家来だった。私は彼らの話から、外国人は大君を日本の元首と見るべきではなく、早晩天皇(ミカド)と直接の関係を結ぶようにしなければならぬ、という確信を強くした[9]。

イギリスの青年外交官と幕末日本の志士たちとの「横議[10]」のありさまは、おどろくほどに自由である。また、好奇心は、日本人の側からだけでなく、相互的であったことがうかがわれる。

函館から江戸まで

明治に入ってからも、しばらくの間は外国人の国内旅行は禁じられていたが、一八七二(明治五)年に、フランス神父のJ・M・マランは、二人のスイス人といっしょに、明治政府から特別の許可をとりつけて、函館から江戸まで、東北地方をとおって徒歩旅行をした。「キリシタン邪宗門はきびしく禁じられている。故にこれを信奉する者をその地の裁判所に届けるべきである。訴人は褒美をもらうべし」という高札が、三本木にも、秋田にも、羽前にも、会津にも、いたるところに立っているのを、マラン一行は見ているのである[11]。ところが、にもかかわらず、明らかに「キリシタン邪宗門」の僧服をきているマラン神父に対して、「住民はどこでも非常にやさしく親切であり、ただ大変大きなしかし好意的な好奇心を表わしていた[12]」。

毛馬内の町に入ったとき、「町中の人は、礼服を着けて道端に立って出迎えた。役人たちは『ねまろ、ねまろ』〔方言、ひれふすこと〕と叫ぶのであったが何の甲斐もなかった。一度はみな地にひれ伏したが、さっそく顔を上げて目を丸くして我々を見ていた。やがて本陣に着くや、そこもすでに見物人で一杯になっており、人々は垣根を越えて庭の草木を踏みつぶし、もう少しで我々の部屋の中まで押し入るところであった。しかし怒るわけにはいかない。みんなは、最も年寄りから小さい洟垂れ小僧まで、きわめて優しく親切で」あった[13]。

秋田の船川港では、浜辺に芝居小屋がかかっていたので、マラン一行が入ってゆくと、中は「超満員」であったが、「思いがけないヨーロッパ人の『出現』が芝居よりも面白かったらしく、とにかく我々がいるあいだ、誰も舞台の方を注意しなかった」。そして人々は、舞台そっちのけで、マランたちのために、お茶とお菓子をもってきてもてなすのであった[14]。

ただ、函館では、「日本人の性質は他の港町の人とは相当違っていることに気付いた」。そこでは、外国人は人食い人種と思いこんでいるらしく、むしろ逃げ腰であったと書いている[15]。これより二〇年後に北海道を旅したフランス神父のM・リボーは、「外人はここでは大して目立たない。彼らはむしろ同等の人間としてみなされ、精々ちょっと不審気な目で見られるくらいである」といい、北海道の日本人が、「古い日本人」を急速に脱皮しつつあるという印象をもつ。

北海道における「日本の開拓者」は、その勇気と気力と忍耐において、アメリカにおけるアングロ・サクソンの開拓者に似ているとのべている[16]。

評価の仕方の相違はあるが、マランもリボーも、本州に住む日本人にくらべて、北海道に住む人々は、すくなくとも外国人に対して好奇心がすくないことを指摘している。

西洋人が日本人の好奇心に注目した記録は多いのだが、その中から、十六世紀、幕末期、明治初年の三つの時期についての観察を引用した。それらのいずれもが、外国の珍しい事物と、外国人に対する日本人のさかんな好奇心に注目している。それは、外来の珍奇で、具体的で、目に見える、事柄と人間への関心なのである。

四　日本を「先進国」にした好奇心

近代化と好奇心のかかわり

日本人の好奇心が、おどろくべき早さで日本の近代化を推し進め、現在ではヨーロッパ先進諸国を追いこさせているのだということを明快に指摘したのは、桑原武夫である。

十九世紀ごろの西洋の書物には、ヨーロッパは進取的、闘争的だが、アジアは保守的、退嬰的だとよく書かれていた。百年前までその説はおおむね妥当であった。しかし今日、ヨーロッパを先入見なく見て歩いていると、それが逆転しつつあるのではないかという印象をうける。日本人とヨーロッパ人では、どちらが変化の原動力である好奇心に富んでいるか、いうまでもない。

アメリカのリースマン教授と私と意見がまったく一致したのは、世界の民族中、好奇心が最強なのは日本人だということである。その理由の説明は、私にはまだできておらず、またこれは軽佻浮薄性と相即するものではあるが、これに刺戟されて、ともかく日本の近代化は躍進した(17)。

日本の学者が、ヨーロッパの社会を調査するために、学術調査隊をヨーロッパに送った。桑原はその隊長であった。その結果、桑原は、かつての先進国であったイギリスやフランスよりも、かつての後進国であった日本のほうが、現在では、はるかに工業化が進み、政治、経済、教育、衣食住の全般にわたって、「伝統排除的傾向」が強いことを発見した。そして、「アジア人は文化における価値転換の可能性ということを考えうるが、ヨーロッパ人にはそれが困難なようにみえる」[18]といっている。この「価値転換の可能性」を推しすすめる力が、日本人の場合は、好奇心なのである。日本がヨーロッパを、工業化において追い越してしまった以上、日本人はヨーロッパを手本として考えるよりもむしろ、「ヨーロッパ人はなぜ日本人よりはるかに好奇心が乏しいか、といったことを研究する方が面白くもあり、また役に立つように思います」と提案する。[19]

好奇心の衰え

現在のヨーロッパ人は、たしかに日本人よりはるかに好奇心が乏しいのであろう。しかしヨーロッパ人は、かつては旺盛な好奇心によって大航海時代を現出させたのではなかったか。ポール・アザールの『ヨーロッパの精神――一六八〇―一七一五年』を開くと、十七世紀の終わりから十八世紀の初めにかけて、イタリア人もフランス人も、ドイツ人もイギリス人も、旅行熱に浮かされて、ヨーロッパはもとより、アジア、アフリカへの旅に出た。そして旅行記や旅行のガイドブックがたくさん出版され、それがまた刺戟となって、「知的に固定した世界から、動きと流れの世界へ」と、人間の意識を変えた。なんでも新奇なものがよいという考えになり、友達さえもきものの流行とおなじように、古いのは捨て、新しいのがめまぐるしく迎えられた、と書いている。[20]

かつて近代の始まりにヨーロッパで噴出した好奇心が、近代化が高い水準まで達した現在、衰えてしまったとすれば、そして、それよりはるかにおくれて近代化をおこなった日本では、たとえばイギリスの三倍の早さで工業化し、イギリス以上に高度に工業化した現在でもなお、当初の旺盛な好奇心が衰えていない、とすれば、それはなぜか、という問いが、当然でてくる。この問いに答えるには、桑原の提案のように、ヨーロッパではなぜ衰えたか、という問い方がある。また、日本ではなぜそれほどまだ衰えていないか、という問い方もある。両方から問いつめていかなければきめ手はない。しかしわたしはまず、日本の場合から出発したいと考える。日本と中国との比較、日本と中国以外のアジア諸国との比較、というぐあいにだんだんにやっていければよいと思っている。

五　農耕民の好奇心

「田舎者」の欲求と心理

日本人の好奇心を、日本における旅の伝統とむすびつけて考えたのは、柳田国男である。田舎の人々は、都市を「世間」と考えた。都市は人々の集るところであり、したがって、新しいものを見たり聞いたりして、経験をゆたかにし、またお互いに情報を交換しあう場所と考えられていた。だから、村から都に出ていって、そこで得た知識を村にもってかえる人が、「もの知り」であった。

田舎の力の何としても否み難い一つの証拠は、町に祭りとか大きな催しとかのある度に、土地の賑いの半分過ぎは、いつも村の人が来て作ることである。花が咲いたといえば山の方からさえ見物に出た。……村に入って見ると一生の間、是だけの旅行すら出来なかったと謂う人も沢山には居るが、いわゆる「ところ貧乏」の心細さを凌ぐ為に無理な貯蓄をしても一度は都を見て置くことを、伊勢善光寺の御参りと一つに、考えて居る者は各階級に亙って居た。それが至って古くからのしおらしい村の修養でもあった。そうして質朴なる人々は、こんな人込場を端的に世間と名づけつゝ、自ら進んで其知識を獲ようとしたので、必ずしも一方の繁華が彼等を誘惑したのではなかった。(21)

ここで柳田は、新しい事物や知識を獲得しようという願いが、比較的単調で閉鎖された村に住む人々の欲求であることを示した。好奇心を、田舎者と自らを自覚するものの、へり下った、自己成長へのねがいとして、柳田は位置づけた。これは、アザールが、好奇心を、「不安の心理」とよび、欠如感からくる不安こそ、人間が倦怠と無関心に陥ることを防ぎ、新奇なものをもとめて行動へとかりたてる原動力だといっているのと対応する。[22]安心と自己満足からは、好奇心は生まれない、ということだ。もし高度工業化社会においても、まだ日本人の好奇心が衰えないとすれば、日本人は、いまだに世界の田舎者をもって任じている証拠であるかもしれない。その意味では、田舎者であることは、ちっともはずかしいことではない。

生涯の旅人——菅江真澄

柳田が描いた村の「物知り」は、村から都へゆき、また村の自分の家へもどってくる人たちのことである。その人たちの村人への知識伝播力は大きい。しかし、もっとそれ以上に、村人たちにものを考える力を与えた人々がいる。それは、村から村へと渡り歩き、自分の村の家へもどることのない生涯の旅人である。柳田は、菅江真澄（すがえますみ）（本名白井秀雄、一七五四―一八二九）のなかに、そのイメージを見た。

……白井氏は松前に渡って行く以前、出羽に一年足らずと奥州に三年余り、何人よりも熱心に土地の風習を観察して居た。そうして折がある毎に其記憶を人に語り、又綿密に比較をして見ようとするのが、此遊歴者の誠に結構なる癖であった。多くの地方の物識りは、書を読んでほぼ都府の標準文化を解し、是と我郷土の生活と、若干の差異あることを知って居る。……しかも二つ以上の土地の中間を、繋ぐべき何物かを省みなかった故に、永く都鄙雅俗（とひがぞく）の独断に盲従して、却（かえ）って身に附いて居る疑惑を、晴らすことが出来なかったのである。独り人間生活誌の一面のみと言わず、総ての受売りで無い学問の起りは、どこの国でも皆この切れぎれの知識の、交換であり蓄積であり又比較であった。土地を愛する人々が、自分で此必要に心づく迄は、至ってたわいの無い旅人の世間話などが、言わば唯一の正しい好奇心の刺戟であった。だからマンドギルや和荘兵衛のような、嘘をつく積りの探検記でさえも、尚異種民族の比較研究が、進んで今日に至った因縁になって居る。ましてや我が白井氏の如きは、現実に見たこと聞いた事以外のものを、筆に遺すことの出来ない人であった。(23)

（傍点鶴見）

ここで柳田は、好奇心を旅とむすびつけただけでなく、比較とむすびつけ、さらに比較を基礎として成りたつ、独創的な学問の方法とむすびつけている。そして、菅江真澄のような独創的な思想家と、民衆とのまじわりが菅江の学問をそだてただけでなく、民衆の好奇心を刺戟し、民衆に知り、考える力を与えたことを力説している。学者の好奇心と、民衆の好奇心との、同根性を、柳田は説いているのである。そして柳田は、このような田舎者的、日常的好奇心が、近代以前から長く日本人のあいだにはぐくまれており、そのような伝統の上にこそ、日本の学問をうちたて直そうとした。

六　牧畜民の好奇心

「日本人の好奇心とエネルギーの源泉」[24]というシンポジウムは、日本人の好奇心を、先史時代にまでさかのぼって探究する。それは、縄文時代人が現代のわたしたちの心の底に生棲しているという、大胆な仮説を打ち出した。まず文化人類学者の石田英一郎は、先史時代から現代まで、一貫して日本人は好奇心が強い。それはなぜか、と問いかける。

考古学者江上波夫は、戦後まもなく、「騎馬民族説」をとなえ、東北アジア系の騎馬民族が、朝鮮半島を経て、四世紀のはじめごろに北九州のあたりに侵入し、一世紀たらずで倭人を征服して、大和朝廷をたてた。これが日本国家の創設だと主張した[25]。江上波夫は、好奇心の源流を、騎馬民族にむすびつけて論じている。騎馬民族のような牧畜民は、好奇心が強く、他民族の文化を模倣しやすい。それに対して、農耕民は自給自足的、閉鎖的であって、自分たちが伝統を守るほうに熱心である。先住していた農耕民のところへ、牧畜民がやってきて征服したのだが、牧畜民はもともと模倣癖があるので、被征服民の農耕民の文化をとりいれた。しかし、完全に両者が融合したわけではなく、日本人のなかには、牧畜民と農耕民との二つの異なる性格が、併存している。歴史のなかでも、開国の時には牧畜民のもつ好奇心が外に向かって発揮され、鎖国の時には農耕民のもつ保守性が強くなる。このように、好奇心を、日本人のもつ二面性の牧畜民的な一面として説明する。

　上山春平は、日本の風土を、「照葉樹林帯（一種の温帯林）[26]」と規定する。そのような自然環境は、狩猟採集文化を高度に発達させ、四、五世紀以後に、高度な外来文化をうけいれる時も、この狩猟採集文化が、フィルターの役割を果たしたという仮説をたてる。この狩猟採集文化を、上山は縄文文化と重ね合わせており、江上も、縄文文化は今から四、五千年前にさかのぼるが、弥生文化はせいぜい紀元前二百年ぐらい前にしかさかのぼれない。「そうするとわれわれの過去の大半は縄文文化＝狩猟採集文化であったと言っていい[27]」とのべている。

外来文化の受容のフィルターとなった縄文文化を、上山は、「自然性の原理」として特徴づける。文明は自然に対して異質なものとして感じられ、そのためにいっそう外来の文明にひかれ、熱心にこれを受けいれる。しかしいったん受けいれた文明を、「自然性」に「引きもどしてしまうという白紙還元能力があって」、他の文明と接触すると、まったく新しい気持で、またそれを熱烈にとりいれる。このように外来の文明に対して、日本人がいつも新鮮な好奇心を失わないのは、縄文人の「自然にかえれ」の心情のゆえであると説く。

七　古代日本人の多重性

「騎馬」と「椰子の実」

柳田国男は日本人の好奇心を、その農村的性格の中に発見し、江上波夫や上山春平らはそれを狩猟採集的性格の中に求める。柳田は弥生文化が日本文化の基底であると考えたのに対し、江上、上山らは、縄文文化が深層にあると主張する。江上が説くように、農耕民と牧畜民との性格が異なり、前者は伝統に固執し、静的であり、後者は好奇心が強く、動的であるとする意見は、移動＝旅への憧憬は、農民的性格だと考えた柳田の主張と対立する。しかし双方とも、好奇心が、原始時代から日本人が保ちつづけてきた情動だという点では一致している。

第二の共通点は、古代日本人は海を渡ってやってきた、という点である。柳田によれば、南シナあたりから、南の島々を、黒潮にのって漂着した人々が、沖縄の島で子安貝をみつけた。そのころ珍しい宝ものだった子安貝にひきよせられて、漂流者たちは、いったん故郷へかえってから、ふたたび黒潮にのって、こんどは妻子たちをつれ、稲の種をたずさえて日本の島へやってきて、この地に定住した。これが現在の日本人の祖先だというのである。騎馬民族説が、古墳からの出土品の年代的比較にもとづいて実証的に推論されたのに比して、柳田説は、伊良湖崎の砂浜に漂着した椰子の実につらなる詩的想像力から生まれている。[28]

いずれの説が正しいかの判定は、わたしにはできない。日本への渡来には、さまざまのルートがあったので、柳田説にみられるような南方からの渡来も、その一つであったが、それがすべてではないという、和歌森太郎の見解をあげておこう。[29]

山人と征服者

柳田によれば、古代日本人は、農耕民ではあったが、同時に漂流者であり、航海者でもあった。柳田が日本の農民のなかに見ている原型は、その静的、定着的な姿だけではない。好奇心と冒険心とをそなえもった海の旅人のイメージである。その意味では、馬もろともに海を渡ってきたという騎馬民族に通じる一面がある。

第三の共通点は、両者とも、古代日本人を多重構造的にとらえていることである。古代日本人が、農耕民的性格と牧畜民的性格との二面をもったという江上説はすでにのべた。柳田もまた、多重構造説である。ただし、柳田説をつきつめてゆくと、南方から稲をたずさえて渡来し、征服者となったのが弥生文化人であり、被征服者である先住民は、縄文文化人になる。この征服された先住民を、柳田は山人（やまびと）とよんでいる。この山人と征服者である渡来人との関係についての柳田の推論は、日本社会の多重構造性の原型を提供する。

山人即ち日本の先住民は、最早絶滅したと云う通説には、私も大抵は同意してよいと思って居りますが、彼等を我々の謂（い）う絶滅に導いた道筋に付いてのみ、若干の異なる見解を抱くのであります。私の想像する道筋は六筋、其一は帰順朝貢に伴う編貫であります。最も堂々たる同化であります。其二は討死。其三は自然の子孫断絶であります。其四は信仰界を通って、却って新来の百姓を征服し、好条件を以て行く行く彼等と併合したもの、第五は永い歳月の間に、人知れず土着し且つ混淆したもの、数に於ては是が一番多いかと思います。

斯ういう風に列記して見ると、以上の五つの何れにも入らない差引残、即ち第六種の旧状保持者と謂うよりも次第に退化して、今尚山中を漂泊しつつあった者が、少なくとも或時代迄は、必ず居たわけだ、ということが推定せられるのであります。[30]

第四の「信仰界を通って」、かえって渡来者を「征服し」、併合したものや、第五の「土着し混淆したもの」の宗教について考えてみよう。柳田は、神道の二重構造について夙に着目していた。おなじ神道の名でよばれながら、天皇家を中心として上から組織した神道と、民間神道とでは、かなり異質の祭式信仰をもっていることをしばしば論じている。前者の原型は渡来者＝征服民のものであり、後者の原型は被征服者＝山人のものであるということができる。征服者がおしつける宗教を、たてまえでは頂戴し、征服者の宗教の名のもとに、実際にはもとどおりの信仰を固守し、両方を併存させる。ちがうものをおなじだということによって、ちがいをほぼ元どおりの形に近く保管する。それは、非力なものの、強力なものに対した時の、自己保全の方法である。仏教が入ってくるよりずっと以前に、すでに神道そのものが習合によってなりたっていた。そのことを、柳田は、「山人考」や『山の人生』[31]で説いているのだと思う。

山人たちの第六のなりゆきは山入りである。かれらは、山男山女、山童山姫、山丈山姥、またサンカ、マタギ、オホヒト、さらには天狗などになって、平地に住む人々の眼には、異形のものと映るようになった。『山の人生』や『遠野物語』にでてくるこれらの異形の人々は、平地人の好奇心の対象でもある。山入りという行動様式は、日本における抵抗の一形態としての隠遁主義の原型を示したものだとわたしは考える。それは同時に、山人と平地人との双方にとって、おたがいに好奇心をそそるものでもあった。

山人、または日本原人とよばれる人々の行動様式について、二つの顕著な行動の基本型を柳田は抽出した。一つは、ちがうものをおなじだということによって、異質なものを異質なままに共存させる方式（習合）、もう一つは社会から自己を疎外させることによって、自己の異質性を保つ方式（隠遁）である。この二つのパターンは、わたしが後章にのべる多重構造型社会をなりたたせる要因でもある。

柳田が山人とよぶものを狩猟採集民とし、渡来者を農耕民とし、征服者と被征服者とをいれかえれば、日本人の性格を、牧畜民的性格と農耕民的性格の二重性としてとらえる江上説と一致する。

八　シャマニズムと好奇心

非排他的なシャマニズム

縄文＝狩猟採集文化と、弥生＝農耕文化とをつらぬいて流れるものを考えてみると、シャマニズムに想い至る。堀一郎は、シャマニズムを定義して、「それはシャーマン（巫覡）というエクスタシー（脱魂・忘我）技術を身につけた特殊な呪術宗教者を中心に、これをとりまく信者群によって形成される宗教現象であり、呪術的であるとともに、多分に神秘主義的で、かつ密儀的な性格をもつもの」であるとする。そしてさらに、この原始宗教としてのシャマニズムが、狩猟、牧畜、農耕文化をつらぬいて、その底流に流れていることに言及している。[32]

泉靖一は、日本文化の根底には、現在まで一貫してシャマニズムが潜み、流れていることを、一九六九年春の上智大学の総合講座「日本社会史」の講義で論じた。[33] またその著書『文化のなかの人間』の中では、シャマニズムが寛容の宗教的態度を代表することを力説した。

……シャーマニズムの世界での神聖者は、天地万物に精霊の存在を信ずるアニミズム的なものであって、そこには原則として、最高神や唯一神の観念も、善悪・正邪・神と悪魔のような二元論もみとめられない。

神聖者なるものにたいするこのような意識構造は、閉鎖的、排他的にはなりえない。そして、万物に神聖者をみとめている以上、「他の世界の神々」または「新しい神々」などはありえないから、いかなる神々でも、またイデオロギーでも、拒否することができないからである。したがって、シャーマニズムの神統には、地域によって、さまざまの他の宗教、たとえば仏教、キリスト教、道教、イスラム教などの神格がとりいれられ、ひどく雑然としていて、キリスト教的な神学からすれば、神聖観念の分析が不可能になってくる。(34)

ここで、また日本人の好奇心に関する、あらたな仮説が一枚加わることになる。それはつぎのようにいうことができる。日本が、仏教、道教、儒教、蘭学、キリスト教、近代科学、技術、政治制度、等々異なる外来の宗教やイデオロギーや制度に接触したとき、貪婪（たんらん）な好奇心をもってすべてをとりいれた。しかも以前から持っていたものを捨てずに保存しつつ、新来のものをその上に積み重ねていった。それはシャマニズムの非排他的宗教態度がフィルターとなったためである。

マリオン・リーヴィは、宗教を大別して、排他的宗教と非排他的宗教に分ける。一つの神を信じたら、その他の神を同時に信じることはできない。もしそのようなことをすれば、背教もしくは異端として責められる。これが排他的宗教である。これに対して、いくつもの異なる神を同時に信じても、いっこうにかまわない、というのが、非排他的宗教である。キリスト教、ユダヤ教、イスラム教は前者であり、神道、仏教、儒教、道教などは後者である。[35] リーヴィは実例としてあげていないが、非排他的宗教の最も顕著な例が、シャマニズムなのである。シャマニズムは、多々ますます弁ずる宗教心情といえよう。

シャマニズムは生きている

縄文文化を日本文化の根底におくにしろ、弥生文化が基底にあると主張するにせよ、両者をつらぬくものとして、シャマニスティックな宗教態度をおき、それと好奇心とをむすびつけて考えることができる。ところが、シャマニズムの分布は広く、日本に限らない。泉靖一によれば、シャマニズムは、「東ヨーロッパからベーリング海峡にかけての草原と森林地帯」、「マレー半島、インドネシア諸島、アメリカ大陸とアフリカの一部」、そして「満州、朝鮮と日本」に、広く分布していた。ところが、スカンジナビアやロシアでは、キリスト教が入ってきてシャマニズムを伝説と神話だけにとじこめてしまい、マレー半島やインドネシアではイスラム教が表面的な勢力をしめ、底流にはシャマニズムが残った。朝鮮では、日本とちがって朱子学が農村にまで浸透し、李朝時代にも日本の統治下でも、シャマニズムは邪教として弾圧されたが、それでもとくに村落の女性のあいだには、「今日なおみずみずしく生きている」ことに泉は驚嘆する。日本の場合、朱子学が武士階級のイデオロギーとしてのみ受けいれられたので、農村には浸透せず、シャマニズムが農民のあいだに広く温存された。明治以後キリスト教がうけいれられた時は、むしろ非排他的な、シャマニズムの態度で受容された[36]。

このように、シャマニズムが人類に普遍的な原初的宗教であるとしても、それが高度に近代化された社会に広く生き残っていることが、日本の社会の特徴だということができる。そして、原初的宗教態度の保持と、好奇心の遍在とが、関連あることが、さまざまの論者によって、論じられているのである。

九　好奇心は原初的心性

これまでは、好奇心が、日本社会の歴史からみて、原初的であることをみてきた。さらに、人間の発達段階からみても、好奇心は原初的心性にねざしていることを、土居健郎は論じている。この著名な精神医は、臨床の経験から、「甘え」という情動を日本人の情動の基本型として抽出した。かれは、「甘え」とは、「受身的対象愛」であると定義する。それは、「本来乳幼児の母親に対する感情として起きると考えられるから、精神分析理論でいうところのエディプス複合成立以前にすでに始まっていると見なければならない。それはフロイトが幼児の最初の対象選択と呼んだごく幼少期に起きるやさしい感情に相当するものである[37]」といっている。このように本来は乳幼児の母親への一体化の願望である感情が、成人した男にも女にも持続して強く働いていることが、日本人の特徴であり、日本社会の特殊性である。

好奇心は、このような日本の大人の乳幼児的感情にねざしていることを土居健郎は指摘する。「結局、中国人が西洋文化に容易に好奇心さえ起こさなかったのは、彼らが自国の文化に絶大な誇りを持っていたからであろう。このことは、中国人の社会が日本人の社会とちがって、およそ甘えの世界とは縁遠いものであることを示している。日本人は上述してきたように元来外の動きに敏感であり、少しでも外が己れよりすぐれていると見れば、直ちに外にとりいりとりこもうとするので、同じように西洋文化と接触しながら、中国人とはまったく異なる結果がもたらされたと考えられるのである[38]」。

もしこのように、日本人の好奇心が、社会の発展の歴史においても、個人の成長の過程においても、最も原初的な心性にねざしているのだとすると、わたしたちは、一つの矛盾につきあたる。好奇心とは、新しいものを求める欲求である。変化を好む心である。しかし、もし変化を好み、新しいものを追って、わたしたち自身の中にある原初的な心性を失えば、好奇心の根源も枯渇することになる。にもかかわらず、わたしたちはどうやら、新奇を求めながら同時に、われらのうちなる原始人を生かしつづけてきたようである。もしそうだとすれば、日本の歴史と社会構造の中に、この新旧の緊張を、両者を同時併存させるようなかたちで処理するメカニズムが、あるにちがいない。このことを、第四章で考えてみたい。

注

(1) 鶴見和子「われらのうちなる原始人」、『思想の科学』別冊第一号、一九六九年(『曼荼羅』第Ⅳ巻所収)。
(2) 九鬼周造『「いき」の構造』岩波書店、一九三〇年。
(3) 土居健郎『「甘え」の構造』弘文堂、一九七一年。
(4) 鶴見和子「極東国際軍事裁判——旧日本軍人の非転向と転向」、『思想』一九六八年八月号、三二頁(『曼荼羅』第Ⅲ巻所収「死者の声」)。

（5）S. G. Sansom, *The Western World and Japan*, Alfred A. Knopf, 1951, pp. 105-6.
（6）『聖フランシスコ・デ・サビエル書翰抄』下巻、アルーペ神父・井上郁二訳、岩波文庫、一九四九年、一〇六頁。
（7）同右、一三七頁。
（8）アーネスト・サトウ、坂田精一訳『一外交官の見た明治維新』岩波文庫、一九六〇年、一八〇―一頁。
（9）同右、一九四頁。
（10）藤田省三は、幕末の志士の行動型を、「横行」「横結」「横議」として特徴づけた。藤田省三『維新の精神』未來社、一九六七年、四―七頁参照。
（11）J・M・マラン「東北紀行」、H・チースリク編訳『宣教師の見た明治の頃』キリシタン文化研究会、一九六八年、一一二頁。
（12）同右、一〇七頁。
（13）同右、一一五頁。
（14）同右、一二八―九頁。
（15）同右、一〇四頁。
（16）M・リボー「北海道の旅」、チースリク編訳、同右、二四六―七頁。
（17）桑原武夫「近代化における先進と後進」、『桑原武夫全集』第六巻、朝日新聞社、一九六八年、五二一頁。
（18）同右、五二三頁。
（19）桑原「ヨーロッパと日本」、同右、五三八頁。

(20) Paul Hazard, *The European Mind, 1680-1715*, translated dy J. L. May, Penguin Books, 1964, pp. 19-22.

(21) 柳田国男『都市と農村』、『定本・柳田國男集』第一六巻、筑摩書房、一九六二年、三〇三頁。

(22) Hazard, *op. cit.*, pp. 453-4.

(23) 柳田『菅江真澄』、『定本・柳田國男集』第三巻、四二〇―一頁。菅江真澄については、未來社から『菅江真澄全集』が刊行されつつある。既刊のものには内田武志『菅江真澄の旅と日記』未來社、一九七〇年、および内田武志・宮本常一編訳『菅江真澄遊覧記』平凡社東洋文庫、一九六五年等がある。

(24) 石田英一郎・上山春平・江上波夫・増田義郎「シンポジウム・日本人の好奇心とエネルギーの源泉」、上山春平『日本の思想――土着と欧化の系譜』サイマル出版会、一九七一年、三三三―四頁。

(25) 江上波夫『騎馬民族国家――日本古代史へのアプローチ』中公新書、一九六七年参照。

(26) 上山春平編『照葉樹林文化――日本文化の深層』中公新書、一九六六年参照。

(27) 石田英一郎ほか「シンポジウム・日本人の好奇心とエネルギーの源泉」、前掲書、三三八頁。

(28) 柳田国男『海上の道』、『定本・柳田國男集』第一巻、筑摩書房、一九六三年、一一―三一頁。

(29) 和歌森太郎『日本史の争点』毎日新聞社、一九六八年、三九頁。

(30) 柳田「山人考」、『定本・柳田國男集』第四巻、一八二―三頁。

(31) 柳田『山の人生』、同右、一七一頁。

(32) 堀一郎『日本のシャーマニズム』講談社現代新書、一九七一年、三〇―一頁。

(33) 「日本文化の根底に潜むシャーマニズム」と題する泉靖一教授のこの講義の筆記は、『総合講座・日本の社会文化史』第三巻に収録された（講談社、一九七三年）。

(34) 泉靖一「シャーマニズムの世界」、『文化のなかの人間』文藝春秋、一九六七年、一一六頁。
(35) Marion J. Levy, Jr., *Modernization and the Structure of Societies*, Princeton University Press, 1966, pp. 610-3.
(36) 泉靖一、前掲書、一一九―一二〇頁。
(37) 土居健郎、前掲書、一三―四頁。
(38) 同右、四七―八頁。

第二章　好奇心の社会学

一　ヴェブレンの「無用の好奇心」

痛烈な文明批判

好奇心を明確な概念として、社会学に招じいれたのは、ソースタイン・ヴェブレン（Thorstein Veblen, 1857-1929）の功績である。かれは「有閑階級」（leisure class）とか、「専門バカ」（trained incapacity）とか、「見せびらかすための消費」（conspicuous consumption）などという現在では日常語として使われているおもしろいことばの創始者であった。「無用の好奇心」（idle curiosity）もまたそのようなかれの創作である。

人間は本能的に知識を求め、それを値打あるものと考える。この傾向を一口にいえば、人間の生来の才能は、無用の好奇心によって発動されるということができる。「無用の」というのは、ものごとについての知識を、なにか別の目的に使おうなどとは思わないで、追求する、という意味だ。このようにして得られた知識が、のちに実用のために役立てられることになろうとも、それはちっともかまわない。

うたがいもなく人間は、ものごとの性質を究めたいという抑えがたい欲求を、多かれすくなかれ持っているものだ。そうして得た知識が役に立つかどうかなどとは一向考えず、ただひたすら、事物一般について、珍奇な解釈をいつも探し求めているのである。無用の好奇心は、人類の生得の性向である。(1)

「有閑階級」や「専門バカ」や「見せびらかすための消費」がそうであったように、ヴェブレンの造語には、かれの生きた時代のアメリカの社会および文明への、痛烈な批判がこめられていた。そしてその批判が、今日のアメリカおよび日本をもふくめて、その他の近代社会にあてはまるからこそ、今日になお生きて使われているのだ。「無用の好奇心」ということばは、一九一八年に出版された『アメリカの高等教育』という本の中にあらわれる。当時のアメリカの大学が、産学複合体になってゆき、ビジネスマンが大学の理事になったりして、大企業にとって都合のよいように教育を牛耳ってゆくことへの批判をこめて、このことばが使われているのである。

一八九九年に出た『有閑階級の理論』の中でも、ヴェブレンはアメリカの高等教育を批判している。そこには、「無用の好奇心」ということばは出てこない。むしろそこでは、アメリカの大学が、まだ中世風の古典尊重主義を墨守して、産業と科学の発展に背をむけていることに批判の矢をむけている。そして、そんな大学よりも、幼稚園や小・中学校のほうが、より実用的で、近代生活に役に立っているといっている。大学が有閑階級の有閑趣味を代表して、学問が「擬古主義」と「みせびらかすための消費」に陥っていることに反対していたのである[2]。

ところが、一九一八年になると、アメリカの大学自体の様子がかわって、企業にとっての目先の利益に教育が奉仕させられるような風潮になった。この時になって、ヴェブレンは、学問を企業の利潤のために奉仕させるなと叫んだのである。十九世紀末には、象牙の塔に反対して、実生活に役に立つ教育を提唱し、一九一〇年代の終わりには、学問における基礎的、理論的研究の無用の用を説いて、低俗な実用主義に反対した。一八〇度の転換のように見えるが、いずれの場合にも、ヴェブレンは、知識が、有閑階級とかれのよんだ支配階級の道具になることを警告したという点では、一貫している。

ヴェブレンは、「無用の好奇心」こそ、人類に普遍的な生得の性向だという。そして、そのおかげで人間は自然および社会に関するさまざまの知識を獲得してきたのだという。しかし、これはどのような好奇心であろうか。第一に、目に見える具体的な物や人にむけられる卑近な好奇心であるよりも、宇宙の法則を知りたいという、抽象的で、高遠な対象にむけられた好奇心のように思われる。第二に、これは、庶民の好奇心というよりも、貴族の好奇心、ないしは学者の好奇心のようにみうけられる。すくなくとも、日々の生活に思いわずらって、あくせく暮らす庶民の好奇心であるよりも、閑人の好奇心みたいである。第三に、これは実践や技術からきりはなされた、知識のための知識の追求とみなされかねない。かれが批判した有閑階級のひまつぶしとなりかねないのである。

体制と好奇心

ところが、ヴェブレンが、このような「無用の好奇心」こそ、人類に普遍的な性向だと強調しているのは、矛盾のように思える。このことについて、リースマンは、ヴェブレンは「遊びの理論」を展開することができなかったために、せっかく考え出した「無用の好奇心」という大事な概念が、矛盾を生みだしたのだと評している。にもかかわらず、リースマンは、実用に流される当時の風潮に対して、ひとり無用の好奇心をかかげて、すべての立身者、迎合者たちに、熱烈に対抗した「高等教育」論こそ、ヴェブレンの業績中のもっとも魅力ある作品の一つだと賞賛している[3]。

第一に、ヴェブレンは、無用の好奇心が人間にとって普遍の性向であることをはじめて明言した社会学者である。したがって、かれは、好奇心の社会学の始祖だということができる。第二に、好奇心の向けられる対象には、いろいろあることを考えさせられる。第一章でわたしたちが観察した日本人の好奇心は、主として具体的事物と人物にむけられたが、ヴェブレンの提唱した好奇心は、むしろ目にみえる事物の背後にある法則や、なぜそうなるのかの説明仮説にむけられている。

第三に、ヴェブレンは、好奇心はすべて無用の好奇心なのだということをあらためて考えさせる。利害得失のためにする知識欲を、ヴェブレンは好奇心とよばない。無用の好奇心に対して、有用の好奇心はない。ただ、ひたすらに知りたいという欲求にかられて知ることによって、その結果としての知識が、なにかの目的に役立つであろうことをヴェブレンは否定しない。しかし、はじめから目的をはっきり意識し、設定して、その目的達成にむかって知識を探究するのは、合理主義的行動であって、それは理性的認識の側面である。これに対して、好奇心は、情動の側面をあらわす。はっきりした目的の自覚と、それを達成する手段の選択とが欠如しているからこそ、それを無用の好奇心というのである。「無用の」というのは、ヴェブレンによれば、「目的のない」、「遊びの」というのと同義である。

もちろん、この二つの側面——理性的認識としての合理主義と、情動としての好奇心——とは、一つの行動のなかで一致する場合もありうる。しかしこれらの二つの側面は、きりはなして考えなければならない。ヴェブレン自身は、体制順応のための、体制内立身出世の目的のための、合理主義的知識追求行為に対置するものとして、無用の好奇心という情動を、概念化したのである。体制順応の目的をはっきり自覚しておこなう知識の獲得も、体制反対の目的を意識しておこなう知識の獲得も、ともに合理主義であり、理性的認識をともなうものであるとすれば、無用の好奇心とは、はっきりした目的の意識なしに、ただ知りたい一心に獲得した知識が、結果として、体制をつくりかえてゆく働きをもつ、そのような意味をこめて、ヴェブレンは無用の好奇心を提唱したのではないか。もしそうだとすれば、無用の好奇心は、貴族や有閑階級に限られたものではなくなる。それは、庶民のものとなる。

二　トマスの「四つの願い」

好奇心を人間の普遍的欲求とみなしたもう一人のアメリカの社会学者は、W・I・トマス（W. I. Thomas, 1863-1947）である。ヴェブレンのやや思いつき的なのに対して、トマスはより体系的である。J・B・ワトスンは、「恐怖」「怒り」「喜び」または「愛」を、人間の「生得的情緒反応」として概念化した。これに示唆をえて、トマスは、人間には生得的に四つの願い（欲求）があるとした。この考えを最初に発表した一九一七年には、「新しい経験をしたいという欲求」「支配したいという欲求」「認められたいという欲求」「安定をえたいという欲求」の四つをあげた[4]。翌年出版された古典的名著『ヨーロッパおよびアメリカにおけるポーランド農民』でも、おなじように、これら四つをあげている[5]。一九二三年に出版された『社会的不適応の少女』では、「支配への欲求」のかわりに、「反応への欲求」が新しく加えられた[6]。

これら四つの願いのうち、「新しい経験への欲求」が、好奇心にあたる。「願い」とか「欲求」とかいうことばをトマスが使っているのは、J・B・ワトスンの「本能」の理論に触発されながら、同時に本能ということばを使うことを避けたためである。トマスは、「願い」とは人間を「行動へかりたてる諸力」[7]と定義し、生物の神経系統のメカニズムに依拠するものとみなす。トマスの四つの願いのうち、「安定への欲求」と、「新しい経験への欲求」は対立する欲求である。トマスは、「安定への欲求」はワトスンの恐怖の情緒反応に対応するといっているが、「新しい経験への欲求」は、冒険をおそれない心、未知のものへの挑戦の喜びである。恐怖心が勝てば、好奇心は抑止され、好奇心を満足させるためには、安定を破らなければならないかもしれない。トマスが、この二つの相反する欲求を、同時に人間の普遍的生得的欲求としてかかげたことは、人間を、矛盾においてとらえたことにほかならない。

トマスは、これら四つの欲求の中から、とくにこの二つの対極的欲求をとり出して、その組み合わせによって、三つの動的パーソナリティ類型をつくった。安定への欲求が強いものは「凡俗の人」、新しい経験への欲求の勝ったものは「ボヘミヤ人」、そしてこの二つの対立する欲求の調和をつくり出すことのできたものが「創造的人間」であるとした。そして、秩序の固定した社会では「凡俗の人」が多く、秩序の崩壊期には「ボヘミヤ人」が多くなり、「創造的人間」が立ちあらわれたときに、はじめて社会は再建の時期に入る。[8]

動的パーソナリティ類型と、社会変動との関係を、このように図式化することによって、トマスは、社会と個人の変化についての比較研究の枠組を提供したのである。

ここでわたしたちにとって興味があるのは、トマスが、好奇心と安定欲求とを、人間の普遍的で基本的な欲求と考えたことである。そして、好奇心をもって、社会変動の起爆力と考えたことである。

三　リーヴィの近代化論と好奇心

好奇心は近代化を促進する

リーヴィによれば、近代化とは、生産において、動物的エネルギー（人力および役畜力）に対して、非動物的エネルギー（水力・風力・電力・石炭・石油・原子力等）の使用の比率が圧倒的に増大し、そのことによって道具の効力が増幅することである[9]。このように数量的に比較することのできる単一の指標をもって、近代化を定義することにより、地球上のあらゆる社会を、より近代化された国、より近代化されない国、というように、相対的に分けることができる。そしてリーヴィは、近代化が進めば進むほど、物質生活は豊かになると考えている。

近代化のよりおくれた社会が、より進んだ国と接触すると、前者のメンバーは、物質生活の向上をもとめて、かれらにとっては目新しい後者の生産技術、生活様式、社会構造、イデオロギーなどのすべてをとりこもうとする。他方、より近代化された社会は、物質生活のより高度な水準をめざす一方、珍奇な事物を、近代化のよりおくれた社会からも、とりいれる。このようにして、近代化は、地球上のすべての社会をまきこむ巨大な渦となる、というのである。

リーヴィの好奇心は、トマスの「新しい経験への欲求」に対応する。しかし、リーヴィのもう一つの基本的欲求である物質生活の向上への関心は、必ずしもトマスの安定欲求と完全に合致しはしない。トマスの安定欲求は、恐怖心にむすびついた、消極的情動である。それに対して、リーヴィのいう物質生活の向上欲求は、現状に満足しない。常に自分たちの現在の状態を、よりよい状態にひきくらべて、相対的欠如感を感じとる、いわば決して飽和点に達することのない欲求である。したがって、リーヴィの図式では、この二つの中心的欲求は、両方とも、積極的情動であり、現状に対して、不安定要因となる。物質生活向上の欲求と、好奇心との二つの中心的欲求のなかで、リーヴィはとくに、好奇心を近代化の推進力として重視する。

不安定をひきおこす要因

好奇心の強弱は、それぞれの社会によって（そしてまた個人によってでもあろうが、リーヴィは個人差の問題には立ち入らない）異なることを、認めるのだが、好奇心のまったく欠如した人間より成る社会は存在しないことを、リーヴィは強調する。「人々が、新奇なるものに、怖れと疑いを抱く度合は、社会によってちがう。しかし、人々が、新奇なものに無関心であるか、新奇なものに好もしい魅惑をまったく感じないような社会は、いまだかつて存在しなかった[10]」。

これはかなりきつい断定である。かつて存在しなかったかどうか、歴史上消滅してしまった社会をもふくめて、踏査してみた上でなければ、実証的に言明することはできないだろう。また、好奇心がまったくないのと、非常にすくないのとのさかいは、はなはだあいまいである。たとえば、わたしが最近読んだ深作光貞の『反文明の世界』という本の中では、「物が豊かになり収入がふえれば、それだけで人間は幸福になれる、と考えている都市文明」に背をむけているカンボジアの農民の生活が、生き生きと描かれている。かれらは、「家でも生活必需品でも、ジャングルに行って、木材・草・センイを自由に拾ってきてつくればいいのである。未開発のところを開拓すれば自分の土地になるから、土地を買う必要もない。食糧も米・野菜・果物は、自分でつくる。魚も、自分で釣ってくる[11]」という生活に、満足している。著者は、一種のユートピアとして、かれらの自給自足的「環節社会」を描写する。しかし他面、都会からやってくる商人の口車にのせられて、予約米を売った前金で、トランジスタラジオを買ったり、町にいって女遊びをしたりして、借金がかさみ、娘を売らなければならなくなる農夫のことも書いてある。このユートピア社会にも、リーヴィのいった物質生活向上への関心と、好奇心が、まったくないわけではない。

トマスの場合は、人間の普遍的性向として、安定欲求が好奇心の歯止めとして設定されていた。しかしリーヴィの場合は、物質生活向上欲求は、好奇心の歯止めにはならない。むしろ相互に促進作用をおこす。その意味では、トマスの場合とちがって、内部葛藤のない好奇心である。ヴェブレンの「無用の好奇心」のような、体制批判の武器でもない。しかし、好奇心は、限りない物質生活向上への欲求とともに、変化の促進力であるから、よかれあしかれ、国内的にも国際的にも、不安定をひきおこす要因になる。したがって、リーヴィの図式からは、それぞれの社会のメンバーの、好奇心の強弱や、持続度の比較と、好奇心が向けられる対象の分類が、国内および国際関係の緊張処理のためには、必要になるであろう。

四　サルの好奇心

ボスは新文化に抵抗する

サル学（プライマトロジー）は、社会科学の近接領域で、日本の学問が独創的な地平を世界にむかってひらいた、数少ない分野の一つである。とりわけて、この本の主題である好奇心について、おもしろい示唆がある。

元来サルの食生活は植物を主とし、昆虫を好んでとって食べる。食用とする植物や昆虫の種類や、食べ方や、どこにあるかの知識などが、群れによってちがうのは、一つの群れの中で、模倣をとおして社会的に習得され、世代から世代へとうけつがれるからである。各群は、その群固有の食生活の伝統をもつ。その伝統はたやすく変えることはできない。ところが、新しい食習慣が、突如としてあらわれ、それが比較的長い月日をかけて、群れに普及してゆくことがある。

高崎山の群れでも小豆島の群れでも、はじめてキャラメルを食べたのは、一歳から三歳以下の子ザルであったし、幸島（こうじま）で芋洗い文化をはじめたのは、一歳半のメスの子ザルであったと報告されている。そしていずれの場合にも、この新しい習慣を、まずまねするのはメス、オスの子ザルで、つぎが母親ザル、そして、最後まで新文化に抵抗するのは、オスのワカモノやオスのボスザルだと報告されている。[12] これは、サルの群れの構造に関係している。日本ザルの群れは、二重の同心円を描いて、内円の中心にはオスのボスザルがおり、そのまわりに、母親ザルと生後半年ぐらいまでの赤んぼザルが小グループをつくっている。生後二年までのオス、メスの子ザルは、遊び仲間をつくり、生後二年以上のムスメザルもムスメ組をつくって、内円にいる。生後二年以上のオスのワカモノザルは、外円に出ていくか、またはそのうち何匹かは群れをはなれてハナレザルになる。[13]

こうした群れの構造をみれば、なぜ子ザルから発した新習慣が、まずコドモに波及し、母親に波及して、ワカモノに波及しにくいかの説明はつく。しかし、なぜ、子ザルがいつも新しいことをはじめるのかは、社会構造だけからは、説明がつかない。このことについて、宮地伝三郎はつぎのような興味ある解説をしている。

サルの群れの文化的習性は、当然のことながら、年長ザルから年少ザルに伝わる。この下向きの伝達は、心理的に抵抗が少なく、伝播速度も大きい。一方、新文化はほとんどの場合、子ザルからはじまる。子ザルは好奇心が強くて、変わった試みをするが、それが上向きに伝播するには、時間がかかるし、しばしば不成功に終わり、老成したオスザルは、とくに新文化からとり残されがちである。若い世代の進歩性と、古い世代の保守性とは、心理的な可塑性の年齢にともなう差といえよう[14]。

旧文化の伝承は、年長者から年少者へ、新文化の創造と伝達は、コドモからオトナへ、というわけである。そしてその理由を、コドモの旺盛な好奇心にもとめている点が注目をひく。

二つのコミュニケイション・ルート

しかし、それはサルの話であって、ヒトとは関係がない、といわれるむきがあるかもしれない。文化とはなにかという定義は、クローバーとクラックホーンによると、一六四種ばかり数えあげられている[15]。しかし、どの定義にも共通する文化の特質は、行動や思考などのパターンがおなじ種のメンバーから習得され、世代から世代へ伝達される点である。そのように考えると、サルの食習慣は、文化の概念にあてはまる。ハロウェルは、原型文化（proto-culture）ということばをつかって、高等霊長類の行動型をいいあらわそうと提唱した[16]。つまり、人類の文化と、動物の行動様式とを、連続体として考えるのが妥当だという主張である。さらにもっと進んで、霊長類にかぎらず、鳥や昆虫やその他の動物の行動型をも、原型文化とよんでいるものもある。文化を原型文化から区別するのは、言語とテクノロジーをもつこと、個体以外のエネルギーを使うことができることだとされている。また、原型文化の変化は、文化の変化の速度よりもおそい[17]。

サルの文化と人間の文化とを連続体と考えれば、サルについての知識は、わたしたち人間の社会と文化とを考えるうえに、大きな光を投げる。たとえば今西錦司が、日本ザルのあいだでは、インセスト（近親相姦）がおこなわれないという研究を発表した[18]。このことによって、これまでアメリカの社会学者が、現代の核家族の生活の中でのインセスト・タブーの効用だけを考えて、それを人類普遍の説明仮説としたことのあやまりが、はっきりする。おなじように、サルの新文化形成における好奇心の役割は、わたしたちの主題に示唆を投げる。

たとえば、年齢が若い個体ほど、好奇心が強く、したがって新文化を形成する可能性が高いとすれば、年齢の若いものが創造する新しいパターンが、より多くのメンバーに、よりはやく伝達しうるような構造をもった社会のほうが、そうでない社会よりも、よりはやく変化する、ということがいえるだろう。サルの社会で、オスの老齢のボスザルが、どの例をみても、もっとも最後まで、頑強に新文化に抵抗するという事実は、教訓的ですらある。

旧文化は年長者から年少者に向かって伝承され、新文化は年少者から年長者に向かって伝達されるとすれば、年長者↓年少者のコミュニケイション・ルートと、年少者↓年長者のコミュニケイション・ルートとが、べつべつに分離している場合には、旧文化と新文化のあいだには、断層が生じ、多重構造になりやすい。双方のルートが、交錯しあっているような社会では、旧文化と新文化は、おたがいに浸透しあい、対立抗争を生み出すであろうが、おたがいに相手を変容させ統合させることに成功する可能性も生じるであろう。前者の場合は、伝統と新文化は切り離されて存在するが、後者の場合は、伝統の革新が可能になるかもしれない。

近代化ということにひきつけて考えれば、いわゆる近代化の先進国といわれたヨーロッパの社会が、年老いて好奇心を失い、後進国といわれるアジア、アフリカ、ラテン・アメリカ等の諸社会のなかから、かえって新文明形成へのエネルギーがでてくるかもしれない。

これらは、拡張解釈かもしれないが、サルの社会にかんする実証研究は、人間の社会の変動について、さまざまの仮説構築を刺戟する。

五　情動としての好奇心

正の情動と負の情動

トマスは四つの願いを人間の普遍的な性向と考えた。その中でもとりわけ「新しい経験への願い」＝好奇心を、あらゆる生産的創造的人間活動の根源的な動力とみなした。ところが、一九二六年以降には、かれは徐々に「四つの願い」についての考え方を変えてゆき、一九三八年までには、これらは人間活動の原動力ではなくて、むしろ人間の欲望の対象を分類する四つのカテゴリーないしは領域であると考えるに至った。[19] このことは、かれが最初に影響をうけたワトスン自身が、初期の本能論に疑問を抱くに至ったことと関係があるかもしれない。トマスが「四つの願い」は人間を行動にかりたてる普遍的動因であるという考え方を捨てるようになった思考変化のすじ道は、はっきりはわからない。しかし、おそらくは、これらの「諸力」を、生得的なものと考えるか、学習により経験により変化するものと考えるかについて、あるいはまた、生得的な要素と学習的な要素とのかかわりあいについて、はっきりした理論を展開できなくなったために、「四つの願い」という初期の仮説そのものを放棄したのではなかったか。

「好奇心」は人間の生産的、創造的活動の源泉であるというトマスの初期の仮説を生かすようなかたちで、わたしは好奇心を再定義してみたい。トマスは初期のワトスンの本能論に依拠したが、わたしはJ・S・トムキンズの情動論のたすけをかりよう。

情動（affect）とは、もっとも一般的な意味では、「経験の感情的側面」をさし、認識および行動の側面と区別するために使われる概念である。そして、「たとえば、一方では怒りとか不安、他方では愛、というように」負の情動と、正の情動に分類される。[20]

ここで正と負という分類が何を意味するのか。トムキンズの著書の中に説明はない。しかし、正とは対象に対して近づくことを、負とは対象から遠ざかることを示す、方向の指示と考えることができる。

トムキンズは、情動のこのような一般的な意味から発して、さらに独自の意味を賦与した。かれは、これまでの行動主義的心理学において、情動の役割が過小評価されてきたことを批判し、情動を個体としての人間体系の中心にすえる。そして、人間の基本的情動として、八つの識別可能な情動を設定した。この基本的情動の一つが、好奇心にあたる。

トムキンズの情動論を簡単に説明するとつぎのようになる。

「飢え」と「悲しみ」

人間は目的を達成するもくろみをもって行動する生物である。その目的達成のもくろみは、フィードバックの体系によって可能にされる。あらかじめこのような状況を作り出したいという可能性としての状況を青写真として描き、実際に実現された状況とくらべあわせて、そのあいだの落差についての情報をもつことによって、後者を前者に収斂させる（落差をゼロに近づける）制御装置である。

個体内情報の提供者は二種類ある。一つは動因（drive）であり、もう一つが情動である。双方とも、人間の生命の維持と再生産にとって、必要で、快適な個体の状況が充たされているかどうかの情報を提供するのだが、両者のあいだには、明らかなちがいがある。

動因は、たとえば飢えている時に不快の信号を発し、満腹した時に快の信号を送り出す。飢えて不快な時には、食物の摂取以外に不快感をとりのぞく方法がない。動因に関するかぎり、不快の感じを誘発する原因と、それを鎮静する手段とは、一対一の対応関係しか成立しない。

これに対して情動は、あきらかに違った働きがある。トムキンズによれば、正の情動は、昂奮―関心（Excitement-Interest）、楽しみ―喜び（Enjoyment-Joy）、驚き―びっくり（Surprise-Startle）の三つに小分類され、負の情動は、悲しみ―悩み（Distress-Anguish）、怒り―憤り（Anger-Rage）、おそれ—恐怖（Fear-Terror）、恥—屈辱（Shame-Humiliation）、軽蔑—嫌悪（Contempt-Disgust）の五つに小区分される。あわせて八つの情動となる。なぜこの八つの情動が基本的であるとされるのかは、著書には書かれていない。しかし、わたしがトムキンズに質問してえた答えによれば、ダーウィンの人間の表情と感情との関係に関する論文によってたてられた区分である。またトムキンズ自身が、さまざまの社会の人々に対して、表情写真をみせて実験した結果、これら八つが、一致して識別できる顔の表情と感情の対応関係であったということである。

さて、これらの情動は、動因のように単純ではない。たとえば、悲しくなるのはどんな時だろうか。寒くても悲しくなるし、おなかがすいても悲しくなるし、仕事がうまくいかなくても悲しいし、愛する人と喧嘩をすればまして悲しい。悲しみという一つの情動をとってみても、それを誘発する原因は種々雑多であり、種々雑多な原因の複合でもある。そして、悲しみを鎮静する手段は、悲しみの直接の原因をとりのぞくことだけとは限らない。さまざまの方法が考えられる。とすると、情動に関するかぎり、その誘発因についても、鎮静の手段についても、一対多の関係が成立する。

トムキンズは、情動も動因とおなじように、生得的なメカニズムだと考える。しかし、情動の場合、何について喜ぶのか、または悲しむのか、どのていどその喜びや悲しみは持続するか、どのていどの激しさ、強さで喜んだり悲しんだりするのか、ということは、学習と経験とによって習得される。また、正の情動が負の情動より強い人と、負の情動が正の情動より強い人とがあり、また正と負との情動がひとりの人間の中で葛藤しあう場合もある。このように、正と負との情動の相対的優劣や、葛藤の様相もまた、ひとりひとりの人間の生いたちや学習によって変わってくる。

関心、喜び、驚き、悲しみ、恐れ、恥などの情動は、部分的には生得的である。しかし同時に、それらの情動は、学習によって獲得された刺激によってもまた、発動されることが可能であることを、トムキンズは強調する。そして、情動は、動因の発する信号を、表出したり、抑圧したりするだけでなく、動因からひとりだちして、発動される場合もある。このように、情動は動因に対して優位に立つだけでなく、人間の認識、決定、および行為の全側面に対して、「第一次的な、青写真の提供者」の地位に立つのだと論じる。[21]

好奇心の構造

いわゆる「本能」は、トムキンズの図式の中では動因に対応する。トムキンズは、生得的であり、したがって生物体としての人間に普遍的である動因のほかに、情動を設定する。情動を生得的ではあると同時に、動因にくらべてより柔軟であり、はるかに可塑的であり、したがって学習によって変化するものとした。この情動を、動因を制御したり、動因からは独立して発動される、人間行為の基本的な動機づけの体系とみなした。そして、人間の理性的認識もまた、情動によって、方向づけられることを論証した。わたしは、トマスがぶちあたった問題——「四つの願い」を、どこまで生得的、普遍的と考え、どこまで学習による可塑的なものとみなし、歴史により社会構造によって変化するものと考えるか——を、トムキンズの情動論を援用することによって、部分的にしろ、解きあかすことができると思う。「四つの願い」のうち、その一つである好奇心を、すくなくとも救い出すことができるだろう。

わたしは、好奇心を、トムキンズの論じる意味での正の情動の中に位置づけよう。三つの正の情動とは、昂奮—関心、楽しみ—喜び、驚き—びっくりであるが、好奇心に直接関係するのは、第一と第三である。

好奇心とは、新しい経験の対象に向かって、驚きと昂奮の情動を投企することである。これまでの経験になかったような対象に向かって、新鮮なおどろきを感じ、関心をもってその対象を追求する性向である。

すべての情動がなかば生得的であり、したがって人類にとって普遍的であるように、情動としての好奇心もまた、人間にとって普遍的な性向である。しかし同時に、そのような驚きと関心とが、具体的にどのような種類の新奇な対象に向かって発動されるか（対象の分類）、どのていどの永続性をもつか（持続性）、どのていどの激しさをもつか（強度）ということは、それぞれの社会の地理的、歴史的環境と、社会構造と、個人の生まれ育った環境および社会化の型によって、さまざまの形をとるのだということができる。

注

（1）Thorstein Veblen, *The Higher Learning in America*, Sagamore Press, 1957, p. 4, p. 7.
（2）Veblen, *The Theory of the Leisure Class*, Mentor Books, 1962, pp. 235-58.
（3）David Riesman, *Thorstein Veblen: A Critical Interpretation*, Charles Scribner's Sons, 1960, p. 55.
（4）Edmund H. Volkart, ed., *Social Behavior and Personality: Contribution of W. I. Thomas to Theory and Social Research*, Social Science Research Council, 1951, pp. 111-2.
（5）W. I. Thomas and Florian Znaniecki, *The Polish Peasant in Europe and America*, Vol. I, Dover Publications, 1958, p. 73.
（6）Thomas, *The Unadjusted Girl*, Little, Brown and Company, 1923, p. 4.
（7）*Ibid.*, p. 4.
（8）Thomas, *The Polish Peasant*, Vol. II, pp. 1856-60.

(9) Marion J. Levy, Jr., *Modernization and the Structure of Societies*, Princeton University Press, 1966, p. 10.
リーヴィの比較近代化論については、鶴見和子「近代化の国際比較」、『思想』一九七一年八月号参照（『曼荼羅』第I巻所収）。

(10) *Ibid.*, p. 783.

(11) 深作光貞『反文明の世界——現代カンボジャ考』三一書房、一九七一年、五九、六二頁。

(12) 宮地伝三郎『サルの話』岩波新書、一九六六年、一四二—六頁。

(13) 同右、四二—六頁。今西錦司『人間社会の形成』ＮＨＫブックス、一九六六年、四五—五七頁。

(14) 宮地、前掲書、一五三頁。

(15) A. L. Kroeber and Clyde Kluckhohn, *Culture: A Critical Review of Concepts and Definitions*, Vintage Books, 1963.

(16) A. I. Hallowell, "Behavioral Evolution and the Emergence of the Self," *Evolution and Anthropology: A Centennial Appraisal*, The Anthropological Society of Washington, 1959.

(17) A. F. C. Wallace, *Culture and Personality*, Random House, 1963, pp. 58-9.

(18) 今西、前掲書、五二—七頁。

(19) Volkart, ed., *Social Behavior and Personality*, *op. cit.*, p. 144.

(20) J. Gould & W. L. Kolb, eds., *A Dictionary of the Social Sciences*, The Free Press, 1964, p. 13.

(21) Silvan S. Tomkins, *Affect, Imagery, Consciousness*, Springer Publishing Company, 1962, Vol. I, pp. 17-24.
トムキンズの情動論の説明については、K. Tsurumi, *Social Change and the Individual: Japan Before and After Defeat in World War II*, Princeton University Press, 1970, pp. 20-23, 29-36参照。

第三章　好奇心のものさし

一　好奇心の分類

自生的と他生的

すべての人間は、多かれ少なかれ好奇心を持っており、その好奇心は、さまざまの対象に向けられる。どのような対象に向かって、どれほどの強さの好奇心が向けられるかは、個人、または集団のおかれている歴史的社会的環境による。もしこのような仮説が正しいとすれば、「日本人は好奇心が強い」といういい方は、もっと限定しなければ正確な意味をもたない。日本人は、どのような対象に向かって好奇心が強いかを、はっきりさせなければならない。また、「中国人は、日本人にくらべて、好奇心が弱い」といういい方も、まちがっている。中国人は、日本人が好奇心を持つような対象に向かっては関心を持たず、日本人が無関心であるような対象に向かって、強い好奇心を集中するのかもしれないからである。

「日本人は好奇心が強い」というとき、わたしたちはすでに、比較をおこなっているのである。なにがしかの他の国民にくらべて、ある特定の種類の対象に向かって、好奇心がより強い、というふうに、いいかえなければならない。それも、他のなにがしかの国民と日本人とのあいだの、特定の種類の対象に向けられた好奇心の、国際比較をおこなったうえでなければ、そういいきることはできないはずである。好奇心の国際比較を、実際にやってみたいと考えているのだが、つぎに、比較のための、ほんの思いつきをのべておく。

まず、好奇心の向けられる対象についての分類が必要である。それから、限定された対象に向かって、好奇心が強いか弱いかを測るものさし＝指標を設けなければならない。特定の対象に向かって発動される好奇心の強弱をはかる指標は、なるべくたくさん考えておくとよい。指標によって、異なる結果がでてきたら、相互に照合して判定を下す必要が生じるであろうから。しかし、対象の分類のほうは、なるべく簡単にしておいたほうがよい。

日本人の好奇心にもっとも関係のある対象領域に限定すると、第一に、他生的な事物への関心と、自生的な事物への関心に分けることができる。第二に、できあがった事物への関心と、創り出すことへの関心とに、類別することができる。他生的で、できあがった事物への関心が強いか、自生的に創り出すことへの関心が強いか、というように、二つの分け方を組み合わせることもできる。

自分の属する集団内に発生した事物を自生的とよび、自分の属する集団外に発生した事物を他生的とよぶ。自生的と他生的の区別は、なにを準拠集団とするかによって、具体的にはちがってくる。たとえば、自分の住んでいる日本のある村またはある都市を焦点におけば、それ以外の日本じゅうの村や都市に発生することがらは、他生的になる。また、日本の社会全体を焦点において考えれば、日本で発生したことがらはすべて自生的であるのに対して、外国で発生したことがらは他生的となる。準拠集団を明確にさえすれば、どのように使ってもよいわけである。しかし、この本の中では一貫して、一つの社会全体を準拠枠として、その社会内に発生したものごとを自生的とし、その社会外に発生したものごとを他生的と限定して使うことにする。そうすると、日本の国内で発生した事物は、日本人にとって、自生的であり、国外で発生した事物は、日本人にとって、他生的であることになる。

「古渡り」「舶来」「航空輸送」でやってきたものは、上等だと思いこむくせが、わたしたち日本人にはしみついている。古代から中世にかけて、インドや中国や朝鮮から、より高度な文明を受容し、近代には西欧から文明を輸入した。アジア大陸からみれば東のはて、西ヨーロッパや北米大陸からみれば西のはてであり、いずれからみても日本は地理的に辺境であるばかりでなく、文明史的にみても、日本は世界の田舎ものである。自生の文明が、そこから外へ向かって流れだしたという世界文明の中央意識をもっている中国人やインド人にくらべて、日本人が、自生の事物と他生の事物について、ちがった考えをもっているのは、あたりまえであろう。

「希世の珍」と「ご存じのしろもの」

W・I・トマスは、状況に対する人間の定義の仕方によって、その人間の状況に対処する仕方が決定されるのだといった[1]。他生―外来の事物に対する定義の仕方に、中国人と日本人とは、基本的なちがいがあったのだと思う。たとえば、第一章で引用したように、サンソムが、ポルトガル伝来の鉄砲をはじめて見たとき、日本人は驚き、昂奮したのに反して、中国人は無関心であったと書いている。このことでもって、日本人には好奇心があるが、中国人には好奇心がない、とはいいきれない。なぜならば、当時この鉄砲を見た日本人は、これをいまだかつて見たこともない珍妙無類のものと定義したのである。

一五四三年、種子島にポルトガル船が漂着したとき、当時の島主は十六歳の少年、種子島時堯であった。

〔漂着せるポルトガル人の〕手に一物を携う。長さ二、三尺。……その中常通と雖も其底は密塞を要す。其の傍に一穴あり、火を通づるの路なり。形象物の比倫すべきなきなり。……其妙薬を其中に入れ、添うるに小団鉛を以てす。……その身を修め、その目を眇にして、其の一穴より火を放てば、即ちたちどころに中らざることなし。……時堯これを見て以て希世の珍となす。始めは其の何という名なるを知らず、また其の何用をなすや詳にせず。(2)

(傍点鶴見)

はじめて火縄銃を見た日本の少年大名は、火薬を「妙薬」とよび、火器を「希世の珍」と定義した。それだからこそ、早速これら二挺を大金を投じて買いとり、刀鍛冶に製法を学ばせたのである。そして二年後には、境、紀伊、九州などで鉄砲が大量に作られ、売買されるまでに至った。このような日本人の態度にくらべて、中国人の事情はまったくちがっていた。中国人の「四大発明」のうちには、製紙術、印刷術、磁石の使用、火薬が数えられる。

……火薬もまた、中国ではじめて知られ、イスラムを通じてヨーロッパに伝わったと考えてよかろう。火薬の問題については、ヨーロッパ人学者のあいだで、ヨーロッパ人自身の発明であるという説がある。しかしこの説にはまだ疑わしい点が多い。初期の火薬は、硫黄、硝石、木炭の三種を混合した黒色火薬であるが、硝石を除いた燃焼性のものを戦争に用いることは、西方でもギリシア火の名で紀元前の時代から知られていた。しかし硝石を混合することによって、はじめて火薬は威力を増してくる。この硝石を最初に知ったのが中国人である。……またモンゴルがヨーロッパに侵入した時に使用したかんたんな火器が、ヨーロッパにおける火砲の起源となった。……(3)

中国人にとって、ポルトガル人のもたらした鉄砲は、すでにかれら自身が発明したものの改良品であった。本家本元であった中国人にとって、それは「希世の珍」などというものではなく、古くより「ご存じの」しろものであった。それゆえに、日本人のようにおどろくことはなかったのである。好奇心とは、対象が未知のものであり、珍奇なものであるという定義がなされてはじめて、発動される力なのだから。

日本人は、外来のものを、新しいもの、珍しいものだと定義しやすい傾向がある。それは、世界の文明に貢献するような規模での発明や発見が、中国人にくらべてすくなかったという事情による。外来のものと類似のものとを、すでに自生の文化の中にもっている場合でさえも、日本人は、外来のものを新しい、珍しい、と思いこみやすい。これに比して中国人は、古代にすでに高度な技術文明を創出したために、外国から入ってくるものは、すでに自分たちが発明し、発見したものの類似品であって、新しいものではない、と判定しやすい。日本人が、中国人よりも、外来のものへの好奇心が強いのは、このような定義の仕方の違いにもよるのであろう。

一般的にいって、日本人は他生の、できあがった事物に対する好奇心が比較的強く、中国人は、他生の事物に対する好奇心と、ものを創り出すことへの関心が比較的強いといえるのではないか。また、日本人にしても、中国人にしても、歴史の流れの中でみると、ある時期には、他生の事物への関心が強くなり、またある時期には、自生の事物への関心が高くなることがある。自生的事物対他生的事物、既成の事物対事物の創造への関心について、異なる国民のあいだに国際比較をすることができると同様に、おなじ国民について歴史的な循環の様相を考えることもできる。

二　好奇心の国際比較

どうやって好奇心を測るか

「日本人は、中国人よりも、他生の事物への好奇心が強い」「中国人は、日本人よりも、事物を創り出すことへの好奇心が強い」等の命題を実証的にいおうとすれば、好奇心の強弱を測るものさしがぜひとも必要になる。どのようにして、そうしたものさしを作ることができるだろうか。なるべく具体的に、数量的に、つかまえることのできるような、好奇心の測定のための指標を、ならべてみる。

(1) 他生的な事物への好奇心を測るものさし

(a) 国外探検および文化遺跡の発掘に、特定の社会のメンバーが、どのていど参加したか。

(b) 国外旅行を、どれほど多くの国民が実際におこなっているか。

国外旅行への願望がどのていど高いか。

（c）外国語の習得率がどのていど高いか。
外国語習得への願望が、どのていど高いか。
（d）衣・食・住の日常生活の中に、どれほどの種類の他生種目が一般にゆきわたってい
るか。
（e）スポーツ、遊び、趣味などの面で、どれほどの種類の他生種目が、一般にゆきわたっ
ているか。
（f）外来語が母国語の中にどのていど通用しているか。
もし外来語がとりいれられているとすれば、どのような領域で外来語がより多く流
通しているかをしらべることによって、他生的なものへの好奇心が、主として、どの
ような生活領域に向けられているかを、測定することができる。

（2）自生的な事物への好奇心を測るものさし

（g）国内の探検、および文化遺跡の発掘が、どのような規模で、どのていどにおこなわ
れたか。またおこなわれつつあるか。
（h）国内旅行を、どれほど多くの国民が実際におこなっているか。
（i）衣・食・住の日常生活の中で、どれほどの種類の自生種目が一般にゆきわたってい

るか。

（j）スポーツ、遊び、趣味などの面で、どれほどの種類の自生種目が一般にゆきわたっているか。

（k）「尊敬する人物」について世論調査をした場合、自国の人物が外国の人物に対して、どのていどの高い比率であげられるか。

（l）「感銘をうけた本」について世論調査をした場合、自国の著者による書物が、外国の著者による書物に対して、どのていどの高い比率であげられるか。

（3）自生的に、事物を創り出すことへの好奇心の高さを測るものさし

（m）ある特定の社会の中で、国際的に登録されているような、どのような技術上の発明が、どのていどにおこなわれたか。

（n）ある特定の社会の中で、衣・食・住の日常生活の面で、どのていどの自生的な工夫がなされたか。

（o）ある特定の社会の中で、自生の文字を発明したか。現在使用している文字は、その自生の文字とつながっているか。

（p）ある特定の社会の中で、生活の変化に応じて、外来語をそのままとりいれる以外の方法で、新しい語彙をつくり出したか。

これらのほかに、宗教、哲学、自然科学および社会科学の理論、文学、芸術などの面で、創造的な仕事が生み出されたかどうかを、さまざまの社会について研究し、比較してみることは有効である。しかし、ここでは、具体的に測定できることがらにかぎって、ものさしを設定してみた。

提案したものさしのうちの三つほどを使って、すこしばかりの国際比較をこころみよう。第一にスポーツ、第二に外国旅行、そして第三に外国語の習得をくらべてみる。

①スポーツ　紀元前三〇〇〇年から一九六九年までの、世界各国のスポーツに関する年表が、『Energy』という雑誌にでている。[4] たいへん便利なので、これによって、新しいスポーツ種目を創案した国民の順位を調べてみた。ただし、日本については、昔から現在まで、創案したスポーツも、輸入したスポーツも、年代とともにかなりくわしく記されている。ところが、こまったことには、中国については、古代に工夫された競技は記載されているが、中世から近代にいたっては、創案についても輸入についても、まったくふれられていない。ソ連については、ほとんど記録もれである。日本についで比較的よく網羅されているのは、英米の場合である。記

載方法にかたよりがあるので、これにもとづいて算出する数字は正確ではないが、大ざっぱな傾向はつかむことができる。

紀元十世紀までの年代にかぎってみると、各国別創始スポーツ種目の数は、最高がギリシャの一三点（ボクシング、レスリング、競走、槍投、円盤投、弓射、乗馬、走幅跳、パンクラチオン、馬車競技、競馬、球戯、体育）。第二位が中国の一〇点（康復＝コン・フウ＝医療体操、球戯、投壺、角力、鞦韆＝ブランコ、蹴鞠、角抵、少林寺拳法＝現在の太極拳の元祖、曲棍球＝現在のホッケーに似ている、抜河＝綱引）。第三位が日本の五点（相撲、舟競＝ふなぎほひ、小弓、賭弓＝のりゆみ、童相撲）。第四位のエジプトは四点（格闘技、プール水泳、ボール・ゲーム、棒試合）。第五位は朝鮮で三点（水術、鷹狩、走馬＝はしりうま）。第六位がバビロニア（格闘技）、ヘブライ（球技）、スペイン（ポレータ）、ペルシャ（ポロ）で各一点である。

記載もれや、表記のしかたのでこぼこはあるにしても、中国がギリシャに匹敵するスポーツ創始国であることは、おもしろい。また、古代の中国と日本のスポーツ種目をくらべてみると、中国は総計一二種目が記されているなかで、一〇種目までが自生である。のこり二種目（打毬、撃毬）は、ペルシャのポロを始祖とするので、他生とした。それにくらべて、日本は、総計一五点記載されているうち自生は三分の一しかない。他は中国または朝鮮から渡来した競技である。

十一世紀以降をみると、もっとも多くのスポーツ種目を創出したのは、イギリスで、記載種目総計三六点のうち、二四点が自生である（競馬、フットボール、弓術、クリケット、テニス、ハールバット＝犬を牡牛・熊と格闘させるゲーム、闘鶏、ボートレース、カーリング、スケート、ゴルフ、射撃、近代ボクシング、ステッキ術、徒歩競争、ラウンダーズ、ラグビー、水球、ホッケー、サイクリング・ツアー、トボガンのスポーツ化、卓球、ダイヴィング、水上スキー）。第一位は日本で、十一世紀以降の総記載種目五五点のうち、自生は一七点である（笠懸、柔術、牛追物、流鏑馬＝やぶさめ、犬追物、首引、楊弓、礫打（いしうち）、投槍、剣術、雁鴨猟、水馬、百手大的＝ももておおまと、伝統馬術、軟式庭球、軟式野球、薙刀（なぎなた））。第三位がアメリカで、記載種目二一点のうち、一三点が自生である（釣のスポーツ化、ベースボール、ビリヤード、タッチ・フットボール、ローン・テニス、キャンピング、ソフトボール、バスケットボール、バレーボール、ボーイ・スカウト、モダン・ダンス、スピード・ボール、水上バレー）。第四位がフランスで、記載種目六点のうち自生は五点である（ポール、スール、マーイ、リュット、スポーツ登山）。カナダ（ラクロス、アイス・ホッケー）、ドイツ（体操、ユースホステルの運動）、オランダ（ゴルフ、ヨット）がそれぞれ自生のスポーツ二点ずつ。あと一点ずつが、キューバ（ハイアライ）、インド（バドミントン）、デンマーク（体操）、スウェーデン（体操）、ノールウェー（スキー）、イタリア（フェンシング）である。

こうしてみてくると、日本はかなりのスポーツ種目を創出したようである。ところが、十一世紀以降に記された自生のスポーツ一七点のうち、現在実際におこなわれているのは、五種目ぐらいのものである。十一世紀以降に記載されている自生、他生、あわせて約六〇点のうち、現在おこなわれているものは約四〇点ほどであるとみなすと、そのうち自生のスポーツは約一二パーセントにしかならない。しかも、自生として分類した軟式庭球、軟式野球は、創出というよりもむしろ、変形といったほうがふさわしいという理由で、他生のほうにくりいれると、自生率はわずか七・五パーセントとなる。イギリスもアメリカも、自生のスポーツが、現在おこなわれている全種目の約七〇パーセントをしめているのにくらべると、日本の自生率はたいへん低い。そして、近代になるほど、自生率が低くなっているのである。このことは、外来のスポーツをとりいれることへの好奇心が、自生の種目を創り出す好奇心よりも、圧倒的に強いことを示しているのだといえる。

体育社会学者の竹之下休蔵は、「日本の場合、外来スポーツの大部分は、外人教師が学校へ持ってきたのがはじまりです。アメリカからもヨーロッパからも、どんなスポーツでも受け入れていますね。日本の国民性というか、選り好みしないでなんでも入れる。日本はスポーツの吹き

だまりだと言われているほどです」といっている。(5)

「スポーツ文化史年表」を見ていて、もう一つ気がつくのは、自分たちの手でさかんに競技を創り出す時期と、外からどしどし取り入れる時期とが、交互してあらわれることだ。日本についての記載があらわれるのは、紀元四世紀で、格闘と角力（すまひ）である。六世紀から八世紀までは、中国と朝鮮から学んだ競技がさかえる。十五、六世紀以降、十九世紀の半ばに至るまで、ほとんど外来の競技の記載は消えてしまう。そして、一八四二年に、「洋式体操が伝授」されたという記事を皮きりとして、西欧からのスポーツが次々にあらわれるが、一九三七年の「国民精神総動員」に関する文部省通達を境い目に、敗戦まで、外来スポーツは、「六大学野球リーグ」をふくめて、廃止され、もしくは表面に出てこない。そして、敗戦後ふたたび西欧外来スポーツと、スポーツによる国際交流の花盛りとなる。開国―鎖国―開国―鎖国の日本史の循環は、スポーツの歴史の中にも、はっきりとよみとれる。このことが、日本人の外に向かう好奇心を、かえって長く保ち、いやがうえにも強化した一つの原因ではなかったかと思うのだが、このことについては、のちにのべることにしよう。

②外国旅行　日本人はたいそう旅行好きだといわれる。外国旅行は空前のブームだそうだ。わたしの友だちの保育園の園長や、小・中学校の教師や、家庭の主婦が、ほんとに気軽に、自

分で働いてためたお金で、ヨーロッパや、アメリカや、東南アジアに出かけるようになった。見たりきいたりする話からおしはかると、カメラを肩にした日本人が、世界じゅういたるところにあふれているような感じがしてくる。

政府の統計によると、国外も国内もともに旅行頻度数はここ数年間激増している。とくに国外旅行者数は、一九六〇年の一一万九四二〇名から一九七〇年の九三万六二〇五名に増加しており、一九七〇年の日本人出国者の五二パーセントが、観光旅行者である。[6]

旅行への願望についてみると、一九六九年十一月に、日本地域開発センターで、十六歳以上の男女二二〇〇名を対象にしておこなった調査によると、「現在してみたいことはなにか」という問いに対して、内容分類をしてみて最も多かったのは、「旅行がしてみたい」という答えであった。男性の二二パーセント、女性の二九パーセントが、そのように答えている。[7]

おなじ年の十一月に、読売新聞と上智大学国際関係研究所との協力でおこなった、十五歳から四十歳までの一一九一名を対象とする調査では、「紀元二〇〇〇年までに達成したいことがあるか」という問いに対して、「ある」と答えたもののうち、内容別に分けると、設問の性質上、仕事や家庭生活に関するものが多かったが、それでもレクリエーションおよび趣味に関することがらをあげたものの中では、旅行が最高位であり、とくに男性も女性も、国外旅行が圧倒的

表1　国別海外旅行者数および総人口に対する百分率

（千人以下四捨五入）

国　籍	海外旅行者数（1969年・千人）	人　口（千人）	百分率（%）
カナダ	10,289	20,015	51.0
フランス	13,359	49,779	26.8
アメリカ合衆国	45,604	203,185	22.4
イギリス	8,885	52,709	16.8
日本	1,058	104,540	1.0
フィリピン	85	27,088	0.3
タイ	43	34,152	0.1
インド	111	435,512	0.03

に多かった[8]。

このように、外国旅行への願望は強烈であるとしても、はたして日本人は、他の国民とくらべて、とくにさかんに外国旅行をしているのだろうか。国連の世界統計年鑑によって、いくつかの国民をまったく恣意的にえらんで、一九六九年度の、海外旅行者の数を、それぞれの国の人口で割って、百分率を出してみた。国連の海外旅行者統計は、日本の出入国管理局の作った統計とちがって、出入国の査証と、ホテルなどの宿泊名簿とを参照しているために、重複することがあり、日本の官庁による出入国者数の統計より、全体として、いくぶん数が多くなっている。「国籍別観光客数」によって算出したアメリカ、日本、イギリス、フィリピン、タイ、フランス、カナダ、インドの、海外旅行者数とその人口あたり百分率は、**表1**のようになる。

おなじ国連統計によって、一人あたり国民所得（推計）を国別でみると、**表2**のようになる。**表1**によってみると、旅行者の絶対数においてもっとも多いのは、アメリカ人である。しかし、人口割りにして比率を出すと、カナダ人が第一位、フランス人が第二位で、アメリカ人は第三位となる。日本人は第五位である。一人あたりの国民所得をあらわした**表2**とひきあわせてみると、非常に所得の低い国は、国外旅行の頻度も低いことがわかる。しかし、カナダ、フランス、アメリカ、イギリスなどのように比較的国民所得の高い国々のあいだでは、国外旅行頻度と、国民所得の高低とが、必ずしも正比例しない。カナダは、一人あたり所得ではアメリカの六〇パーセントあまりだが、国外旅行頻度はアメリカの二倍以上である。フランスもまた、一人あたり所得は、アメリカの半分だが、国外旅行頻度はアメリカの上位にある。アメリカ人が、平均所得では世界の最高水準にありながら、他の西欧諸国とくらべて、国外旅行者の比率が相対的に低いのは、白人人口と黒人人口との所得格差があることに、一つの原因があるのだろう。

表2　国別一人あたり国民所得

（推計・1968年度）

国　名	所得（ドル）
アメリカ合衆国	3,569
カナダ	2,247
フランス	1,940
イギリス	1,457
日本	1,122
フィリピン	255
タイ	116
インド	73

カナダ人の国外旅行への行く先を調べてみると、一九六九年度の国外旅行者総数の九二パーセント（九四〇万人）がアメリカ合衆国行きである。これに比して、アメリカ人のカナダ行きは、国外旅行者総数の七八パーセント（三五七六万五六五九人）である。カナダ人にとっては、アメリカが唯一の地続きの外国だが、アメリカにとっては、カナダだけでなく、メキシコ等南米諸国に地続きの国々がある。カナダ人がアメリカへ行き、アメリカがカナダへ行くには、自動車にのって国境をこえればよい。普通アメリカ人がカナダへ、カナダ人がアメリカへ遊びに行く場合はヴィザはいらない。おなじことが西ヨーロッパ大陸に住むさまざまの国の人々どうしについてもいえる。イギリス人がフランスに行くには、ドーヴァー海峡を渡らなければならないが、日本人が対馬海峡をへて朝鮮へ渡るよりはるかに近い。このように、アメリカ大陸やヨーロッパ大陸に住む人々にとっての外国旅行は、必ずしも海外旅行を意味しないのである。

これに対比して、日本人にとっては、あらゆる外国旅行は、海外旅行である。しかもどこの外国へ行くにも、めんどくさいヴィザをとる手続きは必要だし、しかも、日本人にとって、母国語が公用語として通用する国は、日本より外にはない。外国旅行に対する物理的、心理的距離は、カナダ人、フランス人、イギリス人、アメリカ人にくらべて、はるかに大きい。しかし、そのような条件の違いを勘案するとしても、カナダ人の二人に一人、アメリカ人の五人に一人にくらべて、日本人の一〇〇人に一人という外国旅行率は、相当に低い。他方、アジア人のあいだでくらべると、日本人の外国旅行率は高いのだが、これは主として一人あたり国民所得の高低と関係があると思う。事実、日本、フィリピン、タイ、インドのあいだでは、一人あたり国民所得の水準の順位と、外国旅行率の順位とが、対応している。

日本の場合は、たとえば欧米諸国よりも、外国旅行がより困難であるために、海外旅行への願望がより強烈になるといえるのではないか。願望と達成のあいだのひらきは、おそらくカナダ人やフランス人やアメリカ人やイギリス人よりも、大きいだろう。

いずれにしても、他のすべての国際比較がそうであるように、外国旅行によって外国への好奇心の強弱を測る場合も、他の条件を同じくすることが、たいへんむずかしいことがわかる。外国旅行者数の全人口に対する比率によって、それぞれの社会の成員の外国の事物に対する好奇心を測る尺度とするためには、いくつかの媒介変数（たとえば、所得水準、国内の所得格差、外国への地理的距離、査証獲得の困難さ、通貨の交換比率、政府の対外政策等）を設定し、それらの変数にどれほどの比重をかけるかを、各事例ごとに勘案しなければならないだろう。そうした諸要因を考慮にいれれば、外国旅行者率は、外国の事物への好奇心を、国際的にくらべるためのめやすになる。現在のところ、日本人の外国旅行率は、日本国内で喧伝されているほどに高くないのである。

③外国語の習得　一九七〇年に、シチズン時計株式会社が、ＵＰＩ通信社との協力で、世界五六カ国の六三都市に住む、十六歳から二十二歳までの青年六三〇〇名に対しておこなった調査がある。その中で、「あなたは次の中で何語がしゃべれますか」という質問があり、一〇カ国語がリストにのっており、「日常使っていることばは除く」という注がついている。調査結果によれば、外国語をしゃべる人数が最高なのは、コペンハーゲン、つぎがアムステルダムで、最低は、ホンコンと、ローマである。また外国語の数においては、ロンドンが最高で一〇カ国語、ローマやカルカッタが最低で三カ国語である。東京は外国語数においては平均水準（七カ国語）だが、外国語をしゃべる人数においては、中位数以下である。アジア諸国首都の中でも、東京はジャカルタやサイゴンにくらべて、外国語数において低く、外国語をしゃべる人数において、ジャカルタ、サイゴン、ソウルよりも少ない。ただし、大阪は、外国語数においても、しゃべる人数においても、東京より優勢ではあるが、それでもアジアのこれら三つの首都より外国語をしゃべる人数はすくない。大阪はニューヨークとほぼ同等である。[11]

外国語の習得度の国際比較は、外国旅行とおなじように、条件を同じくすることがむずかしい。母国語が、国際的に広く通用している他の言語と、系統を同じくする場合には、それらの外国語を習得しやすいし、そうでない場合には、むずかしい。したがって、外国語習得の困難さの度合を考慮にいれなければならない。また、特定の国民が、外国の植民地であったような場合は、好奇心とはまったく無関係に、外国語の習得を強制させられる。そのような場合には、外国語の習得の度合と、外国の事物への好奇心とは、まったく無関係である。

日本人についてだけいえば、国外旅行に対する願望の強い割合には、外国語に対する習得率は低い。もっとも、このことについても、特定の国民の、国外旅行への関心度と、外国語の習得度との相関関係を国際的に比較してみないことには、なんともいえない。案外、外国旅行への関心と、外国語の習得率とは、一致しないほうが普通なのかもしれない。しかし、その国のことばがしゃべれなくとも、その国に旅行したいというものが多い社会と、その国に旅行するためには、その国のことばを、知っていなければならないと考える人の多い社会とでは、外国の事物への関心の質は違うだろう。

スポーツ、外国旅行、外国語習得の、三つのものさしについて、日本人と、外国人との比較をおこなった。日本人は新しいスポーツを創りだすよりも、外来のスポーツをとりいれることのほうに、より多くの好奇心を発現したことが、国際比較をとおしてあきらかになった。外国旅行については、達成と願望とのあいだに、かなりのへだたりがあることが推論できる。そのことが、外国の事物への好奇心をさらに刺戟する一つの要因になっていると考えられる。外国語の習得率からみると、現代の日本の青年は、他の社会の青年たちとくらべて、低いほうである。外国語の習得率によって、日本人の対外好奇心を測るとすれば、日本人は好奇心が弱いといわざるをえない。

三　好奇心と外来語

日本語の半分までが外来語

ことばによって、外国の事物への関心度を測る方法が、もう一つある。それは、母国語のなかに、どれだけの外来語をとりいれたかを調べてみることだ。

外来語とはなんだろうか。外来語とは、他国語から自国語の体系へ借用したものである。小林英夫は、借用を資料的借用と形式的借用にわけ、外来語には両方の意味での借用があると説いた。「資料的借用といふのは、語彙即ち単語とか成句とかの如く一体として出来上ったものの借用である」。そして、形式的借用とは、「文または統合の構成及び形成の仕方の借用」である。[12] 楳垣実は、この小林の分類をつかってはいるが、外来語を資料的借用のみに限定する。そして、「他国の言語体系の資料を、自国の言語体系に借り入れて、その使用を社会的に承認したもの、これを外来語とよぶ」と定義する。[13] わたしは、楳垣の定義にしたがって、主として、できあがった語彙の借用について検討しよう。

日本語の語彙の中で、約四割が中国語からの外来語、一割がその他の外来語で、その他の外来語のうち九分までが英語である。[14] わたしたちの使っていることばの半分は外来語だということになる。しかもこれは戦前の数字なのである。今日では、おそらく英語の比重はもっと増しているであろうし、外来語そのものの割合が、さらに大きくなっているにちがいない。これもまた戦前の数字であるが、英語からの外来語だけに限ってみると、運動・競技に関する語彙がもっとも多く（一五・二パーセント）、第二が文学・美術・音楽（一二・四パーセント）、第三が飲食品（一〇・八パーセント）、第四が機械・工業（八・九パーセント）、第五が科学（八・六パーセント）、第六が服装（八・五パーセント）で、比較的低いのが商業・財政（四・六パーセント）と、家庭・宗教（四・一パーセント）である。分類の仕方にでこぼこがあるが、この数字は、近代における日本人の外来の事物への関心が、どの生活領域に向かっていたかを、大ざっぱに示すめやすとなる。[15]

日本語の中で、外来の語彙が半数あまりを占めることが、他国語の場合とくらべて、非常に多いといえるのかどうか、実際に世界各国語の外来語を含む割合を調べてみなければわからない。『外来語辞典』の著者、荒川惣兵衛によれば、外来語をもっとも多く包摂しているのは、英語なのだそうだ[16]。

まるごと輸入する日本

外来語の量だけでなく、外来語を自国語の体系の中へとりこむパターンの国際比較をこころみる必要がある。このことについて、中国で生まれ育ち、現在アメリカで比較文化論の上ですぐれた仕事をしているフランシス・シュー（許烺光）が、つぎのような興味ある見解をのべている。

日本人の国語間関係 language relations の処理方法を、中国人、ヒンズー人、およびアメリカ人のそれと比較してみよう。中国人は音訳に最も抵抗し、ヒンズー人とアメリカ人は、それよりいくらか抵抗が弱いことが知られている。それゆえ彼らは中国人に似るが、両者とも、新しく出てきた要請に応じるための単語、あるいは語根を、自分の祖語（ヒンズー人にとってはサンスクリット、またアメリカにとってはギリシア語またはラテン語）のほうに向かって探し求めにゆこうとする傾向がある。他方、日本人は、中国の表意文字によって造語したり、あるいは西洋からまるごと輸入するという点で、無識別きわまりないことがわかる[17]。

シューは、日本人が中国語を受け入れた時の無原則なやり方を、実例をあげて批判し、近代になって主として英語をとりこむ時に、それとまったくおなじ手口で混乱を招いたことを、説得力をもって論じている[18]。

中国人と外来語

中国人の外来語に処する態度を、日本人と対比して、わたしはつぎのように考える。

第一に、中国人は、原則として、漢字を本来の表意文字として使う。外来語を音訳して漢字におきかえるのは、人名・地名などの固有名詞以外には、例がすくない。したがって、外来語は、中国語の中では、微小部分である。この点、日本語の場合とくらべて大きなちがいである。

馬克思（マルクス）・列宁（レーニン）　第二に、音訳される外国語は、主として固有名詞である。

人名の場合は、姓の最初の文字が、中国人名に使われている文字をなるべく使うようにするという原則がある。たとえば、馬克思(マルクス)、列宁(レーニン)、白求恩(ベチューン)、牛頓(ニュートン)、林肯(リンカン)、羅素(ラッセル)、杜威(デューイ)、康徳(カント)、霍普特曼(ハウプトマン)、漢斯・安徒生(ハンス・アンデルセン)、孟徳斯鳩(モンテスキュー)等はあきらかにこの原則にのっとっている。

第三に、固有名詞以外の外国語の語彙を、中国語に移すときは、意訳して漢字におきかえることが原則であって、音訳するのは例外である。音訳の方法には二つある。一つは、昔からあった中国語のことばをもって、外来の新事物、新思想にあてる方法である。二つめは、漢字を組み合わせて新造語を作ることである。この方法は、中国語本来の造語法によるのだが、造成された熟語は、創作である。これら意訳による二つの方法から作りだされた語彙は、わたしたちが使っている意味での外来語ではない。

外来の思想や事物が、珍奇なものではなく、もとから自分たちの体験の中にあったものと、類似のものであるという意識が、とくに第一の意訳の方法の場合に、顕著である。外来のものを、自生の古いものとして定義づけることによって、外来のものを自己の伝統の中に定着させる方法でもある。意訳の第二の方法は、外来の事物を表現するために、伝統的な表現のくみかえをおこなう。もしそのようにしてできた新造語が流通すれば、それは外来の新事物が伝統の中に定着することを意味するばかりでなく、新事態に対処する伝統そのもののつくりかえをも意味する。

これにくらべて、音訳による外来語の受容は、伝統との関係において、相互浸透作用がすくない。外来のできあがったことばを、できあがったことばのままで、表記だけ自国語に移しかえるのだから、容易であるが、そこには創作力は働かない。伝統そのものをつくりかえる衝撃も弱い。

日本語の場合は、意訳と音訳とが並行して使われてきたのに対して、中国語の場合は、意訳を原則とする。これは、外来の事物に対する両者の対処の仕方に大きなちがいがあることを、はっきり示す。

近代のはじまりに、意訳の方法で外来の思想を最初に、さかんに移植したのは、日本人であった。たとえば、「権利、義務、思想、主義、哲学、政治、階級、社会、あげればきりがないが、みな日本から輸出し、中国語に定着したものである」と竹内好は指摘している。[19]

革命ということばも、国家ということばも、出典は古代中国の文書であるが、これらを、近代になって、それぞれ、レヴォルーション、ステイトの意訳としてあてはめたのは、日本人であった。とくに革命ということばは、孫文が日本に亡命したときに、日本の新聞が孫文をさして「革命党の首領」とよんだことを、孫文がよろこび、中国にもちかえって、普及させた。革命という訳語を作ったのは日本人であったが、それを自己の伝統の中に定着させ、近代史の中で革新的な意味を賦活させたのは、中国人である。日本人はむしろ、革命を「おそろしいもの、いまわしいもの」としてうけとった。革命と国家という、近代における日本人の考案した二つの訳語が、その後に、中国と日本とでたどった運命のちがいを、竹内の文章ははっきり照らし出している。[20]

馬达（モーター）・珈琲（コーヒー）はむしろ例外 第四に、例外として、中国人も、外国語の音訳をしないわけではない。たとえば、馬达（モーター）、幽默（ユーモア）、珈琲（コーヒー）、可可または蔻蔻（ココア）、摩登（モダン）、密达（メートル）、雷达（レーダー）等がある。

ところが、ここでも日本とのちがいは顕著である。まず日本語のカナ文字で外国語をあらわすよりも、中国語の発音にしたがって、漢字で外国語をあらわすほうが、原語の発音により近い場合がある。たとえば、珈琲は ka fei であって、コーヒーよりも、原語の発音に近い。蔻蔻の中国語音は kou kou であって、ココアよりも、原語の発音に近い。密达についても、雷达についても、おなじことがいえる。おそらくこれは現代中国語にあって、現代日本語の発音には

郵便はがき

料金受取人払

牛込局承認

9445

差出有効期間
令和3年11月
24日まで

162-8790

(受取人)

東京都新宿区
早稲田鶴巻町五二三番地

株式会社 藤原書店 行

ご購入ありがとうございました。このカードは小社の今後の刊行計画および新刊等のご案内の資料といたします。ご記入のうえ、ご投函ください。

お名前	年齢
ご住所 〒 TEL E-mail	
ご職業（または学校・学年、できるだけくわしくお書き下さい）	
所属グループ・団体名	連絡先
本書をお買い求めの書店 市区郡町 書店	■新刊案内のご希望 □ある □ない ■図書目録のご希望 □ある □ない ■小社主催の催し物案内のご希望 □ある □ない

読者カード

書のご感想および今後の出版へのご意見・ご希望など、お書きください。
社PR誌『機』「読者の声」欄及びホームページに掲載させて戴く場合もございます。)

書をお求めの動機。広告・書評には新聞・雑誌名もお書き添えください。
頭でみて □広告 □書評・紹介記事 □その他
社の案内で ( ) ( ) ( )

購読の新聞・雑誌名

社の出版案内を送って欲しい友人・知人のお名前・ご住所

ご住所 〒

入申込書(小社刊行物のご注文にご利用ください。その際書店名を必ずご記入ください。)

冊	書名	冊
冊	書名	冊

定書店名 住所

都道府県 市区郡町

ない音があるためだろう。たとえば、あいまい音の発音記号のə、ウムラウトのÜ、複母音のou、ao、子音のf、t、dなどである。そのため、中国語による表記のほうが、日本語・中国語以外のことばの発音を、より正確に表記できるという利点がある。

しかし、にもかかわらず、中国語の場合は、音訳はあくまでも例外である。シューによれば、音訳で中国語の中に定着したのは、馬达ぐらいのものだろう、という。[21] おそらく珈琲を加えることができるだろう。音訳が氾濫している日本語の場合とは、あきらかな相違である。

たとえば、日本語では、外国語の音訳(外来語)しか流通していないことばが、中国語では意訳しかない場合が多い。『中日大辞典[22]』によって、いくつかをひろってみると**表3**のようになる。

第五に、外国語の音訳についての、中国人の態度を知るもう一つの手がかりがある。一つの外国語に対して、音訳と意訳と、両方ある場合には、たいがい音訳がすたれて、意訳のみが流通する。これに対して、日本人の場合は、両方を併存させる。

表4を見ると、たしかに中国語の音訳は繁雑であって、意訳のほうが便利である。ところが、便利という観点からだけ考えれば、日本語の場合は、カナ文字による音訳のほうが書きやすい。にもかかわらず、音訳と意訳とが併存し、ときとしては、異なるニュアンスで使い分けられる

表 3

日本語の外来語	中国語	日本語の外来語	中国語
アルコールランプ	酒精燈	ボタン	釦
エスカレーター	電動扶梯	シャツ	衬衣
ケーブルカー	電纜車	ワイシャツ	衬衫
ヘリコプター	直升飛机	シュークリーム	気鼓
ランプ	洋燈	トーストパン	烤面包
ラジオ	収音机	オートミール	牛奶麦粥
テレビ	電視	キャラメル	牛奶糖
クレオン	蜡筆	カステラ	鶏蛋糕
ゴム	胶皮	フライパン	烤盘子
コルク	軟木	フォークダンス	集体舞
コンクリート	混凝土	バドミントン	羽毛鈔
ズボン	褲子	スキー	滑雪
サラサ	花洋布	スケート	滑冰
ジャージー	細毛絨	コルホーズ	集体農場
メリヤス	針織	コミューン	公社
ローン	細麻布		

表 4

	日本語	中国語	日本語	中国語
音訳	サイエンス	賽因斯	インテリゲンチャ	印的里
意訳	科学	科学	知識人	知識分子
音訳	デモクラシー	徳漠克拉西	テクノクラシー	特克諾克拉西
意訳	民主主義	民主主義	技術主義	技術主義
音訳	プロレタリアート	普羅(列塔列亜特)	インスピレーション	煙絲披裏純
意訳	労働者階級	无産階級	霊感	霊机

ことは、便利の観点だけが、取捨選択の基準ではないことを示す。

「ヘアーのカミですか」

第六に、中国人は、自己の社会の体験のなかにすでにある事物であって、したがって自国語でそれを表現することばをもっているものについては、外来語を採用しない。これは、まったくあたりまえにきこえる。しかし、日本人の場合は、そうではない。すでにれっきとした日本語の表現のある、陳腐な事物に対してさえ、日本人は外来語をとりこむのだ。たとえば、妻をワイフといったり、夫をハズ（バンドを省略して）といったりするのが、ハイカラと感じたりする。そのうえ、現在では、中国語風に、愛人（アイレン）というと、さらにいかすように見えてくる。一時は、ドイツ語のフラウということばがはやった時代もあった。英語では、ミセスは、たとえば「ミセス・スミス」というように、苗字の上につけるのがふつうの用法なのに、日本人は、ミセスを単独に、妻または奥さんという意味に使う。また、フランス語のマダムは、奥さんという以外に、水商売の女主人という意味でも使われる。かくして、日本語の外来語は、事物や思想が新しく輸入されたために、ことばがないので、やむなくことばをも同時に輸入する、というだけではなく、すでに事物も、ことばもあるのに、多々ますます弁ずるために、輸入されたものも多い。そして、状況や気分に応じて、使いわけられるのである。このような外来語のとりいれ方は、中国語では通用しない。

日本人のあいだでは、すでに日本語の指示詞があるところへ、外来語をとりいれた場合、あとからきた外来語のほうが名声が高くなりがちである。はじめからあった日本語は、しだいに時代おくれになって、やがて廃語となるものもある。たとえば、わたしがいつも「牛乳」というので、なぜ「ミルク」といわないのかといって、学生に笑われる。わたしはくせになっていて、なかなか、「ミルク」といえないのだ。旅行がツアーに（バスの中で、「ツアー・コンダクター募集」という広告が目についた。「バス・ガイド」などとはもういわないらしい）、石鹸がソープに（ポルトガル、スペイン、フランス語よりの外来語である「シャボン」はもう古い。だが、ソープ玉とはいわず、依然としてシャボン玉はシャボン玉である）、髪がヘアーに（「カミを染めるものはどこですか」とデパートの売り子にきいたら、「ヘアーのカミですか」とききかえされた）、ご飯がライスに（レストランで「ご飯ください」というと、必ず「ライスですか」と念をおされるにきまっている）という具合である。さらに、巻尺はメジャーに、蓄音器はプレーヤーに、別荘はセカンド・ハウスにとってかわられ、そういわなければ、けげんな顔つきや軽蔑のまなざしに出あうのである。中国語にも、たしかに社会の変動とともに、ことばの変化はある。しかしそれは、新しい中国語がつくられるということであって、外来語が中国語を追いはらうことではない。

日本人と外来語

日本語の中にとりいれられた外来語の種類は非常に多い。『外来語辞典』によると、日本語の中で現在使われている外来語の原型は、二五種にのぼる。英語、米語、中国語、朝鮮語、満州語、梵語、欧州語、フランス語、ドイツ語、イタリア語、ロシア語、スペイン語、パーリ語、マレー語、オランダ語、ギリシャ語、ラテン語、ヘブライ語、アラビア語、エジプト語、トルコ語、アイヌ語、ポルトガル語、ヒンドスタン語、および和製外国語である。[23] このほかに、辞典を繰ってゆくと、その他の言語を原型にする希少例にいくつかぶつかる。たとえば、タミール語、カンボジア語、インドネシア語、ツングース語、ホッテントット語等々である。

「ラッパ」「ズベ公」は何語か　外国語を日本語の中にとりいれる仕方には、いくつかの型がある。

第一に、日本人は、外国語の単語を、単独に音訳して、日本語の中にとりいれる（表5）。中国語の中に、音訳で外国語がとりいれられる場合にも、共通するので、日本語における外来語の特徴とはいえない。ただ、すでに指摘したように、日本語では、その数と種類がおびただしいのである。

第二に、日本人は、日本語と外来語とをつなぎ合わせて、一つの新しい語を造成する（表6）。

表 5

日本語	原　　語
ツル	朝鮮語―turum、turumi
ズボン	アラビア語―jubba、フランス語―jupon
ボタン	ポルトガル語―potao、ドイツ語―Bouton、英語―button
メリヤス	ポルトガル語―medias
メリンス	スペイン語・オランダ語・フランス語―merinos
ラッパ	梵語―rava、オランダ語―roeper
ウルシ	タミール語―urushi

表 6

日本語＋外来語	
あいオーバー	合＋英語・over(coat)
あかゲット	赤＋英語・(blan)ket
あかダイヤ	赤＋英語・dia(mond)
（あずき。相場変動が大きくもうけが多い）	
うたカルタ	歌＋ポルトガル語・carta
こいコク	鯉＋朝鮮語・kuk（＝湯）
そばボーロ	蕎麦＋ポルトガル語・bolo
外来語＋日本語	
アイスもなか	英語・ice ＋もなか
アキレスけん	ドイツ語・Achilles(fehne) ＋腱
アプトしき	ドイツ語・Abtsch ＋式
オウか	ギリシア語・ラテン語・ポルトガル語・オランダ語・Europa ＋化
カツどん	英語・cut(let) ＋どん（ぶり）
ズベこう	ポルトガル語・スペイン語・espada ＋公
ホたる	中国語・火＋垂る
ミソしる	朝鮮語・miso ＋汁
日本語＋外来語＋日本語	
おしボタンせんそう	押し＋英語・button ＋戦争

これはすでに、日本人は、漢語をとりいれた時からの方法であり、漢語の造語法である。このやり方には、日本語＋外来語（「湯桶よみ」）と、外来語＋日本語（「重箱よみ」）[24]と、それらの複合として、日本語＋外来語＋日本語または外来語＋日本語＋外来語（サンドウィッチよみと名づけようか）の三つの形がある。

既成の語と語とをつなぎ合わせて新語をつくる方法は、中国語の造語法からの借用である。しかし、中国語では、自国語と外来語とを接合して新語を作る場合は、外国の固有名詞と、中国語の単語との複合にかぎられるようだ。たとえば、パリコミューンを巴黎公社、マルクス＝レーニン主義者を馬克思列宁主義者というように。日本語の場合のように、固有名詞以外の外来語と自国語とを接合する造語例はないようである。

しかし、今日の米語には、つぎのような例をあげることができる。

samurai class（日本語・さむらい＋英語・階級）
geisha house（日本語・芸者＋英語・家）
sukiyaki party（日本語・すきやき＋英語・パーティ）
teriyaki dinner（日本語・照焼＋英語・晩餐）

zengakuren students（日本語・全学連＋英語・学生）

beatnik（英語・ビート＋ロシア語のたとえば <Narod>nik——人民主義者——の語尾だけとってつけた）

banzai charge（日本語・ばんざい＋英語・攻撃）＝特攻隊

これらの例は、すべて戦中戦後に流布したものである。外来語と自国語である英語とをくっつけるこのような造語法が、英語本来のものであるかどうかわからない。戦前にさかのぼって調べてみる必要がある。

第三に、日本人は、異なる種類の外来語どうしをむすび合わせることによって、新語をつくる。

クリーム・パン（英語＋ポルトガル語）

カン・カン（英語 can ＋中国語・函）

キルク・ゾウリ（オランダ語＋中国語・草履）

クシ・カツ（朝鮮語 kos, kottchi ＋英語 cut<let>）

ジョウ・ルリ（中国語・浄＋梵語 <vaidu>rya →中国語・瑠璃）

エビ・テン（インドネシア語　ebi ＋ポルトガル語 tem<pero>）
ミズ・ギセル（朝鮮語 mil ＋カンボジア語 khsier）
アジ・ビラ（英語 agi<tation> ＋ラテン語 billa）

以上のように、異なる国々から、そしてたとえば、古代と近代、近世と近代というように、異なる時代に、輸入した外来語どうしをくっつけて、新造語をつくるというやり方は、おそらく中国語には類例がないであろう。その他の外国語に類似の事例があるかどうか、調べてみたい。日本人は、あまり関係のなさそうな国と国からの外来語どうしをくっつけあわせ、すこしも奇異に感じない。まさにむすびあわせの達人である[25]。

アメリカは〝張先生の虎〟　第四に、日本人は、おなじ国から輸入した外来語どうしをむすび合わせて、原語にはなかった新しいことばを合成する。たとえば、エア・ガール（英語＋英語。英語では、stewardess というが、air girl ということばはない）、オー・ジー（英語＋英語。old girl の略。日本語では、女性の先輩、同窓の意味だが、英語にはこんな表現はない。おなじく、オー・ビー、old boy がその男性版である）、オールド・ミス（英語＋英語。old miss 英語では old maid である）、ミルク・ホール（英語＋英語。milk hall 牛乳や菓子パンなどを供する大衆食堂。こんなことばも、こんな制度も、イギリスにもアメリカにもありはしない)。

これは、日本人が漢字をとりいれた時から、ずっと長年のあいだ、使いふるした手法であった。それを、近代になって、英語に応用したまでのことである。

第五に、日本人は、外来語に、それが母国語として使われていたときとは、ちがった意味を与えて使う。これは日本人が、中国語をうけいれた時からの常套手段であり、いわば日本人のお家芸なのである。日本人の中国人との交通を大きくさまたげている原因の一つでもある。外国語をできあいのまま借用して、その原語の意味内容をすりかえるから、原語の提供者である相手の外国人とは、話が通じなくなってしまうのである。

現在日本語を習っているアメリカ人やイギリス人が、日本語で一番苦手なのは、カタカナで書いてある部分だという。漢字で書いてある部分のほうがわかりやすいという。ところが、中国人にとっては、漢字で書いてある部分こそ、もっとも大きな誤解のもとなのである。たとえば、日本の新聞に、毛沢東が、アメリカは「張子の虎だ」といったと書いてあるのを読んで、中国人であるシュー博士は、これを“Master Chang's tiger”(張先生の虎)だと思い、なんのことやらわからなかった、といっている。そしてしばらく後に、「張子」は「チャンズ」ではなくて、「はりこ」と読み、紙でつくったはりぼての虎という意味だということをやっと諒解した、と

月刊

2020
5
No. 338

発行所　株式会社 藤原書店©
〒一六二―〇〇四一　東京都新宿区早稲田鶴巻町五二三
電話　〇三・五二七二・〇三〇一（代）
FAX　〇三・五二七二・〇四五〇
◎本冊子表示の価格は消費税抜きの価格です。

編集兼発行人
藤原良雄
頒価 100円

コロナウイルスが全世界で猖獗を極める今、後藤新平に刮目！

今、なぜ後藤新平か？

▲後藤新平（1857–1929）

コロナウイルス問題に揺れる日本で、後藤新平が本格的に刮目されてきている。後藤は一八九五年、日清戦争が終結し、コレラが蔓延する中国から二三万を超える兵士が帰国するにあたり、世界でも前例のない大規模な検疫の責任者に抜擢され、わずか数カ月で、国内三カ所に大規模な検疫所を建設し、コレラ上陸を水際で止めた。この成果に、世界は驚きと賞賛の声を上げた。

国民の「生を衛る＝衛生」を政治の最重要事項とした後藤新平から、今われわれは何を学べばよいのか。

編集部

● 五月号 目次 ●

〈特集〉今、なぜ後藤新平か?

石をくほます水滴(しだたり)も

社会学者 鶴見和子
(一九一八―二〇〇六)

わたしが五歳のとき、祖父後藤新平は「和子嬢もとめに」として、

正直あたまに神やとる
人は第一しんばふよ
石をくほます水滴(シダタリ)も

という書を書いてくれた。表装されたこの書が、わたしの勉強部屋にいつもかけてあった。正直であること、忍耐して困難を乗り切り志をつらぬくこと。これを、後藤新平は自分の生涯を通して実行し、それを自分の子孫にたたきこんでおきたいと考えたのであろう。

アジア経綸

後藤新平のアジア経綸は、一九〇七年九月、伊藤博文と厳島の宿で三晩にわたって語り合った「厳島夜話」に始まる。新大陸アメリカが今後、非常に強い国になることを見通していた後藤は、ドイツ人の書いた「新旧大陸対峙論」*から、日本が旧大陸の中国とロシア、さらにロシアを通じてヨーロッパと固く結び、アメリカに対峙することがアジアの平和につながると考えた。そこで伊藤に、日本とロシアを結ぶ仲介をしてほしいと説得したのである。熱意に動かされた伊藤は一九〇九年、ハルビンでロシア宰相ココフツォフと会見するが、そこで暗殺される。それに後藤は非常に強い責任を負ったことになる。一八年に寺内内閣が倒れると後藤も外相を辞して野に下るが、二三年には個人の資格でソ連の極東全権大使ヨッフェを自費で日本に招び、日ソ平和への段取りをつけようとした。亡くなる二年前の二七年にも、個人の資格でスターリンに会うためにモスクワに赴いた。既に二度も脳溢血に倒れていた後藤は周囲から強く引き止められたが、死を覚悟の上でモスクワに向かったのである。

＊ドイツ人の書いた「新旧大陸対峙論」 一九〇五年刊行のE・シャルクの著『諸民族の競争』で、米国の強大化が説かれ、仏独同盟を提唱。

「公共」と「自治」

もうひとつ、後藤が生涯を貫いて考えたのは「公共」と「自治」ということであっ

た。若き日に後藤が医学を学ぶことができたのは、横井小楠門下の四天王の一人、安場保和に見出されたおかげである。それまで日本において「公（おおやけ）」とは「大きい家」、つまり「天皇家」を指すと考えられていた。これに対して**小楠は、庶民と庶民がつながって国家に対して抵抗するための主体という意味での「公共（パブリック）」の概念を初めて見出した。**後藤は安場を通じて小楠の「公共」の概念をうけついだ。概念としてうけついだだけではない。**後藤は医学を学ぶなかで「衛生」ということを考えていた。**個人が病気にかかると、それは個人を超えて感染し、多くの人々に影響を与える。西南戦争や日清戦争後の兵士の検疫にも従事した後藤は、医学の実際の面から、人びとの生を衛（まも）ること（「衛生」）を考えていた。また**「衛生」は国を超える概念でもある。**たとえば現在、欧米でBSEが生じれば、またアフリカでエイズが生じれば、ただちに世界に波及する。**それを防ぐための主体として「公共」を考えた**のである。

アメリカ哲学を学んだわたしには、ジョン・デューイが*The Public and its Problems*（1927）（邦訳『現代政治の基礎――公衆とその諸問題』）で論じた「公共」が強く印象づけられていた。**デューイはこの本で、人間同士が切り離された近代において、地域において顔の見える人と人とが結びつく（「公共」）ことで、上からの支配をはねのける「自治」を実現すること**を論じている。それで**わたしは「公共」とは欧米の考え方だと思っていたが、そうではなかった。**既に幕末の横井小楠が考えた「公共」を安場保和を通してうけつぎ、明治以後の日本の政治の中で実現しようとしたのが後藤だった。「衛生」にとりくみ、また晩年には「政治の倫理化」運動で国民の主体的な政治参加を説いた後藤は、「公共」と「自治」の実践を志していたのである。後藤の「石をくほます水滴」には、人間は一人では小さな水滴であっても、人と人とが結びつけば石に穴を穿つこともできるという思いも込められていたのかもしれない。

「石をくほます」二つの志

「アジア経綸」、「公共」と「自治」――後藤はこの二つの志を若い時代に抱き、一度は挫折したようではあるが、困難を乗り越えて最後までつらぬいた。それは後藤の「石をくほます水滴も」という処世訓につながっている。後藤のこの二つの志は、今こそ重要になっているとわたしは考える。

（二〇〇四年十二月）

（つるみ・かずこ／社会学者）

〈特集〉今、なぜ後藤新平か？

「生活」こそすべての基本

生命誌研究者　**中村桂子**（一九三六―　）

公衆衛生と教育が社会づくりの基盤

一九八〇年代、たまたまアフリカで仕事をする機会を得た。「熱帯農業研究所」の理事として八年間、年に二回ナイジェリアを訪れたのである。

空腹の子どもには食べ物を送りたくなるが、自律性を尊重するなら農業技術の改善をするべきだと考えての活動である。とても困難だが楽しい仕事だった。しかし、アフリカの日常に接しているうちに、よりよい暮らしに向けてのお手伝いは、**公衆衛生**（public health）と**人を育てること**（education）に尽きると思うようになった。人間、食べるためにはなんとか努力するが、公衆衛生や教育にはなかなか眼が向かない。実はこの二つこそが社会づくりの基盤であり、ここに集中したお手伝いが生活改善の鍵だと強く思ったのである。

ここで後藤新平である。**後藤を象徴する言葉は「衛生」と「自治」。**まさに核心をついている。**衛生は生を衛（まも）ることであり生活の基本である。そしてすべての人が関わる公共である。自治は本能であり、共同体は本来自律的なものである。**これが後藤の考えだ。私はこれを「人間が生きものとしての生きる力によって自律的に生きていくこと」の重要性の指摘と受けとめる。このリレー連載でも、多くの方が「衛生」と「自治」を後藤新平の基本としてとりあげているが、その関心は主として、この考え方を基本に何をしたかに向けられている。医療・交通・通信・都市計画・外交……多くの分野での活躍の根っこに「衛生」、「自治」があると指摘しているのである。もちろんそれは重要である。

後藤の自治の思想とは？

しかし、「今、なぜ後藤新平か」を問うなら、本当に大事なのは行動以前の後藤の考え方そのものをもっとていねいに見ることなのではないだろうか。なぜそのように考えたのか、具体的には何を重視しているのかという問題である。後藤は、自分が生きた時代を「世界人類の歴史があって以来、今日のように、文明の急激な転換期に遭遇したことはない」と捉え、「**最も自然な最も健全な新しい文明を創ろう**」としたのだ。そして、そのためには「**何よりもまず、世界人類の生活的自覚が必要**」と言っているのである。転換期の文明創造という大きな課題を意識しながら、そのためには一人一人の人間がどのような自覚をもち、どう暮らすかが基本だと言っているのだ。

「自治」について語る文の標題は、「自治生活の新精神*」であり、どのページにも「生活」という言葉が頻出する。男性、しかも明治時代の日本男性で、生活に根を置いて考える人がいることにまず驚く。「生活」など女・子供の関わることとされていたであろう中での、この発想はすごい。私は現在を「文明の転換期」と考え、「自然で健全な文明を創りたい」と思っているので、そのために考えるべき個所に印をつけていったら印だらけになってしまった。

35歳頃の後藤新平

***「自治生活の新精神」** 一九一九年刊。自治は国家の有機的組織の根本原則で、国家憲政の建立は健全な自治生活を基礎とすべきと説く。

あたりまえを見つめ直す

後藤の考えを追おう。

人間は自己の生活を向上させる権利があるが、単独で生存できる人はいない。そこで、自己の利益と社会の利益とが一致するような組織をつくり、生活を公共的に広げるのが政治（含む地方自治）の役割である。

自治は人類の本能であるのに、現代は生活を官治に委ねる傾向があり、生活の向上に関して世界共通の煩悶に陥っている。更なる向上には、自治生活の新精神が必要である。

ここで言われているのはあたりまえのことばかりだが、実は、これほど難しいことはないとも言える。もう一度**あたりまえを見つめ直すことが今最も必要とされている**のだ。後藤は、「最も多くを期待するのは、一日の仕事を終えた夕方皆が集まって放論談笑の間に、各自の生活や気分を相互に理解し合うこと」と言っている。自律的生活を楽しむ個人が、お互いを尊重し合いながら暮らす社会こそ人間らしい社会ということだろう。（二〇一三年一二月）

（なかむら・けいこ／JT生命誌研究館名誉館長）

〈特集〉今、なぜ後藤新平か？

未来の日本の創造は、後藤新平論から始まる

元国土事務次官 下河辺 淳
（一九二三―二〇一六）

いつも後藤新平に尋ねる

後藤新平は私にとって偉大な人間として見えてきます。私は何かあるといつでも後藤新平に尋ねることにしています。こんなとき後藤新平ならどのように考えるのか、どのように受け取るのか、どのように行動するのかと考えます。

二十世紀の産業革命を受けて、人々は皆狭い分野の専門家になり、社会的貢献をしてきました。全人間的な思慮には欠けていました。

後藤新平には専門はありません。台湾や満洲で活動しても、台湾や満洲の専門家ではありません。まして鉄道、通信などの専門家でもありません。そして、震災復興の専門家でもありません。そして、それらの課題に取り組んでも、政治家や行政官ではありません。

江戸から東京へ

明治維新で江戸が東京になりましたが、江戸と東京は水と油でしかありません。徳川時代に成立した江戸に、明治維新により新しい日本の首都が置かれ、京都から天皇及び公家一族全てが移り住みました。

東京を占居して新日本を創立したのは、薩長土肥のエリート達であり、彼らは徳川時代のエリートとは戦の仲でありました。

後藤新平はこのような江戸から東京への展開を受けて、ノマドなエリート達の活動とその意義を知っていました。

二十世紀から二十一世紀への新たな展開について考えなければならない我々にとって、十九世紀から二十世紀への展開について述べている後藤新平の発言から学ぶことがたくさんあります。後藤新平をあらためて研究してみる意義は極めて大きいと思います。

今の「東京」に後藤新平がいたら

民族も異なり、宗教も異なり、思想も異なる人々が居住する都市を考える時代になってきましたが、中でも東京とは何かを考えなければなりません。

東京は日本の首都であり、全国の中心的役割を果たしており、全国から青年たちが東京を目指して集合してきました。たまたま高進学率の時代に入り、高等教育を受ける若者が東京に集中してきました。

しかし今日では、首都移転から大学移転まで地方分散が課題となり、特に科学技術の研究実験は地方分散型になりました。

東京は首都でもなく、教育の場でもなく、大企業の本社機能のビジネスセンターでもなく、むしろ世界的な文化交流の都市として評価される時代が来たように思います。

このような時代に後藤新平がいたら、どのように評価し行動を起こしたでしょうか。

あらためて藤原書店の「後藤新平」の仕事に感動しています。未来の日本の創造は後藤新平論から始まるといってよいと思います。

（二〇〇七年四月）

（しもこうべ・あつし／元NIRA理事長）

●後藤新平（1857-1929）

1857年、水沢（現岩手県奥州市）の武家に生まれ、藩校をへて福島の須賀川医学校卒。1880年（明治13）、弱冠23歳で愛知病院長兼愛知医学校長に。板垣退助の岐阜遭難事件に駆けつけ名を馳せる。83年内務省衛生局に。90年春ドイツ留学。帰国後衛生局長。相馬事件に連座し衛生局を辞す。日清戦争帰還兵の検疫に手腕を発揮し、衛生局長に復す。98年、児玉源太郎総督の下、台湾民政局長（後に民政長官）に。台湾近代化に努める。1906年9月、初代満鉄総裁に就任、満鉄調査部を作り満洲経営の基礎を築く。08年夏より第二次・第三次桂太郎内閣の逓相。その後鉄道院総裁・拓殖局副総裁を兼ねた。16年秋、寺内内閣の内相、18年春外相に。20年暮東京市長となり、腐敗した市政の刷新、市民による自治の推進、東京の近代化を図る「八億円計画」を提唱。22年秋アメリカの歴史家ビーアドを招く。23年春、ソ連極東代表のヨッフェを私的に招き、日ソ国交回復に尽力する。23年の関東大震災直後、第二次山本権兵衛内閣の内相兼帝都復興院総裁となり、再びビーアドを緊急招聘、大規模な復興計画を立案。政界引退後は、東京放送局（現NHK）初代総裁、少年団（ボーイスカウト）初代総長を歴任、「政治の倫理化」を訴え、全国を遊説した。1929年遊説途上、京都で死去。

〈特集〉今、なぜ後藤新平か？

「放送開始！」あの気宇を

元NHKディレクター　吉田直哉（一九三一―二〇〇八）

「放送とは何か」が問われている

今、なぜ後藤新平か？――私の答えは単純かつ明快で、「彼が初代東京放送局総裁*であったからだ」である。

NHKの番組制作現場に四十年ちかく在籍した身として、いまほどご高説を伺いたいときはない。

一九二五年三月二十二日、後藤新平総裁が、東京芝浦のスタジオで放送開始の、希望と熱意にみちた壮大な気宇のあいさつを電波にのせてから八十年。いま放送は数多の難問を抱え、その環境は最悪の状況に陥っているのだ。

それは、たてつづけの不祥事に端を発した受信料不払いが広がって、改革を迫られることになった、NHKだけの問題ではない。民放と、そのそれぞれの系列新聞社、広告業界、スポンサーとなる企業、さらに受け手としての視聴者ぜんたいに大きくからむ大問題なのだ。しかも、人のこころに深く関わる種類の事柄で、政局となった郵政など、その比ではないともいえる、緊急課題なのである。

***初代東京放送局総裁**　一九二四年、社団法人東京放送局（現NHKの前身）が設立。翌二五年三月二二日、仮放送開始で後藤は、放送の社会的役割を説いた。

「スウジが王様」の時代に

一九五三年、テレビ放送開始の年、入局したての新人だった日を思い出す。初代総裁のイメージにも、現在の状況にも大いに関わりがある話なので、昔話と敬遠せずにきいていただきたい。

とにかくはいりたてで、まごまごしていたら、摩尼（まに）さんという、名前ばかりでなく、じっさい高僧の雰囲気を漂わせた大先輩が、私を呼んだ。

「新人としての君にきくが、日本をアメリカナイズしようとしている占領政策のなかで、なにがいちばん効果をあげると思うか」

「……さあ、六三制の教育制度、旧制高校と大学をなくしたことでしょうか」

おそるおそる言うと、摩尼さんはきびしい表情と口調で断言した。

「教育制度もだけど、私は新しい放送制度だと断じて思う。民間放送ができて、商品の広告をするのはいい。しかしたちまち世の中は『消費は美徳』一辺倒になるだろう。スウジが王様になるだろう」

「スウジ？」

「聴取率だよ。テレビでは視聴率か。これが絶対君主になる。ＮＨＫは関係ないなんて思っちゃいかんよ。かならずこれに振りまわされて身を誤るだろう。……君ははいったばかり、私は入れ替わりに定年でやめて行くところだけど、君が私の年になったとき、きょう私がアメリカナイズといった意味にきっと気づくよ。もう別の国になっているだろうから」

初のラジオ放送のマイクに向かう後藤新平

大先輩の予言的中

摩尼さんはさらに、**番組を中断してコマーシャルを入れていくアメリカの流儀**だけでも将来、排除できればいいのだが**――あれは集中力を失わせる。とんでもない、怪物のような子どもが育つことになるだろう**、と予言した。

そして五十年。私はこの予言の的中していることに、ただ舌を巻くのみなのである。ただ思いもかけなかったことは、アメリカならまだよかった。アメリカですらない、**見も知らぬ別の国になってしまった**という事実である。

「公共放送」論議の再開を！

もうひとつ、思い出す言葉がある。その、アメリカナイズの本家のアメリカ人の同業者が、日本にきて言ったのだ。

「世界の七不思議というぐらい驚いたのが、日本の旅館とＮＨＫの受信料制度だ。かたや客室にカギがない、かたや払わない人間はいない、という性善説。それが共にうまく運営されている！」

もう三十年ぐらい前の話だ。この七不思議も、いまは昔話。公共放送論議を本格的に再開しなければならない。

公共放送から官の影と「銅臭」、ゼニのにおいを徹底的に除け！　が持論だった初代総裁に、いまこそ学ぶべきである。

（二〇〇六年二月）

（よしだ・なおや／文筆家・演出家）

「他の誰にも撮れなかったマタギの真実」——瀬戸内寂聴さん推薦

最後の湯田マタギ

写真・文 **黒田勝雄**

和賀川の対岸にそびえるオロセ倉(ライオン岩とも呼ぶ)(湯之沢/1996年2月)

『最後の湯田マタギ』の写真には、見た瞬間から強く感動しました。

半世紀ほどもつき合ってきて、ただの一度も不快な顔を見せたことのない黒田勝雄さんが、突如、隠していた情熱のすべてをかけて撮影してくれたマタギの世界!!

感動しない訳は無い。

他の誰にも撮れなかったマタギの真実が、ここに豊かに息づいている。

黒田勝雄さん、ありがとう!!

瀬戸内寂聴

銃の手入れをする仁右ェ門さん
見守る孫の慎二さん
（湯之沢／一九九〇年四月）

残雪のブナ林をゆく
（下糸沢／一九九二年四月）

湯田は奥羽山系に囲まれた東北地方有数の豪雪地帯。湯之沢は和賀川沿いにある。一九七二年、国の集落再編成事業で、長松、大水上地区の二十五戸が湯之沢に集団移転した。長松地区には、マタギと呼ばれる人たちが暮していた。マタギの頭領は「オシカリ」と呼ばれ、長松では世襲され、高橋仁右ェ門（にえもん）さんはその末裔であった。仁右ェ門さんたちは、十人ほどの隊を組んで、熊獲りに出かける。「巻狩り」と呼ばれる猟法である。銃を持たない「勢子（せこ）」は熊を追い立てる役割。（略）

（構成・編集部／全文は本書所収）

（くろだ・かつお／写真家）

「医をもって人を救い、世を救う」司馬遼太郎も絶賛した関寛斎伝の決定版！

極寒の地に一身を捧げた老医、関寛斎

合田一道

祖父と二重写しに

関寛斎(せきかんさい)の存在を知ったのは、北海道新聞社の記者になったばかりのころだから、もう半世紀以上も前になる。休日を利用して国鉄(後のJR)池北線(現在は廃止)の列車に乗り、池田、本別を経て陸別まで足を延ばした。そこで初めて寛斎という希有な開拓者がいたのを知った。その時、ふいに祖父の北海道入植に思いを馳せた。

祖父が香川県から入植したのは一八九五(明治二十八)年、二十一歳の時。寛斎が札幌農学校に入学した七男、又一の願いで石狩郡樽川(現石狩市樽川)に取得した農場を視察するため、初めて北海道に渡ったのは九六年だから、祖父の入植の翌年にあたる。

豪気な気性ながら寡黙な祖父は、幼い孫である私に、開拓期の苦労話など一言も話さなかった。北海道を開拓したのは、内地(当時は本州以西をこう呼んだ)からの移住者たちであり、私の周辺にいる大人はすべて〝内地人〟ばかりだった。だから開拓の苦労話など話してもしょうがないとの思いが強かったのであろう。

祖父が生前、ふと漏らした言葉がある。「一度でいいから、しょっぱい川を渡って故郷へ帰りたい」。しょっぱい川とは津軽海峡を指す。なぜ、そんなことを言うのかと、北海道生まれの私は子ども心に不思議に思ったのを覚えている。

後に北海道の歴史に興味を抱き、それに関わる著書を書き出したのは、故郷を偲ぶ言葉を一言だけ残した老境の祖父と、七十二歳にもなって開拓地に入った寛斎の姿が二重写しになったから、といってもいい。

名医の地位を捨てて開拓者に

しょっぱい川を渡って北海道に入植した開拓者たちは、ほとんどが名もない人たちで、想像を絶する大自然の猛威と闘いながら大地を切り拓き、何事もなかったように、黙然として逝った——。

▲関 寛斎（1830-1912）

だが寛斎は違う。戊辰戦争が起こると、徳島藩の典医の身から新政府軍の奥羽出張病院長になり、戦後は典医を辞して町医者になり、人々を病苦から救済しようと努力した。そのうえ高齢をものともせず、妻アイとともに北海道に渡り、もっとも気候が厳しいとされる十勝国の未開の原野に入植し、そこに理想郷を築こうとしたのである。

原野はリクンベツ、トマムと呼ばれ、この二つのほかに、上トシベツ、オリベ原野まで開拓は及んだ。この中のリクンベツが現在の「陸別」の町の名の起源になった。リクンベツとはアイヌ語で、高く・上っていく・川、の意。この地域を流れる利別川がここで険しくなり、上流に向かって高く上っていくように見えることによる。危ない、の意だとする説もある。トマムは湿地、トシベツは蛇の川、または縄の川。オリベはオルベとも呼ばれ、丘・処の意。広大な原野がどこまでも広がり、曲がりくねった川が流れていた地域と解釈したい。

栄誉も財産もすべて擲って挑んだ北海道開拓――。寛斎が目指した理想郷とはどんなものであったのか。現存する資料や文献などを用いながら、その足跡を辿ってみたい。それが北海道の大地を慈しみ、開墾していった多くの先人たちの心情にも繋がるのではないか、そんな思いで、筆を執ったのが本書である。

（ごうだ・いちどう／ジャーナリスト）

名著『資本論の世界』『作品としての社会科学』の著者内田義彦を解剖する！

内田義彦の学問

山田鋭夫

「学び問う」「学を問う」

「学問」という語ほど内田義彦に似つかわしいことばはない。「科学」というよりも「学問」なのだ。

「科学」というときの「科」は、区分けすること、そして区分けされた一つ一つを意味している。したがって科学とは「学を分ける」ことであり、また区分けされ専門化された個々の学なり法則的・体系的知識なりを指す。内科・外科……、経済学科・経営学科・会計学科などの用語を想起してほしい。これに対して「学問」の方は、細かい語源的詮索は措くとして、この語を素直に理解すれば「学び問う」「学を問う」とも読めるように、それは人びとの「問い」と不可分である。そこには区分けされた知識といった含意はあまりなく、むしろ「学芸を修める」（『広辞苑』）といったように、ある種全般的な、あるいは全人間的な知識や知恵といったニュアンスが含まれていよう。

西洋語で考えてみるならば、「科学」は science であり、それは知識を、とりわけ体系化された知識を意味するものであった。しかし学の専門分化とともに natural science や social science といった語が生まれ、さらには同じ社会科学のなかでも法学、経済学、社会学などへの細分化とともに、社会科学はしばしば social sciences と複数形で表されることが多くなった。他方「学問」の方は science と英訳されることもあるが、「問う」「探究する」というその重要な含意を生かすとすれば、すぐれて inquiry（少し意味を狭めて academic inquiry）の語に相当し、ドイツ語でいえば、内田義彦自身が言っているように Forschung がこれに該当しよう。

「学問」は人生と社会の問題

冒頭、「科学でなく学問だ」と言わんばかりの言辞をはいたが、もちろんこれは言いすぎだ。内田義彦は右にいう意味での「科学」を否定していないどころか、そのまっとうな発展を心底から希求している。と同時に、**科学がともすると陥りがちな部分的知識の絶対化**、科学者の部分人間化、科学的結論の受動的受容、それらによる人間精神と社会関係の貧困化を強く戒めているのだ。そして、**それを乗りこえるために「学問」の眼、すなわち市民一人ひとりによる主体的なForschungの必要を訴えているのである。**いわば科学を包みこむ学問、学問に裏打ちされた科学、要するに科学と学問の相乗的な好循環こそが、内田義彦が「学問」ということばで語ろうとしたことだった。

▲内田義彦（1913-89）

そういう含意において、内田義彦の思想は「学問の思想」なのである。**内田義彦は「学問の思想家」なのである。**こう言ったからといって、このことは、ほとんど内田の代名詞となっている「市民社会の思想家」内田義彦と矛盾しはしない。内田義彦の思想は「市民社会の思想」であり「学問の思想」なのである。そしてまさに、この「学問の思想」を把持している点で、内田義彦は他の多くの市民社会論者とは区別される。内田にとって「学問」とは倫理や人生の問題であると同時に、なによりも社会形成の問題でもあった。学問による市民社会形成こそが内田思想の根幹にある。内田義彦の市民社会は、すぐれて「学問する市民社会」なのである。

（やまだ・としお／名古屋大学名誉教授）

〈追悼〉木村汎さん

木村汎教授の遺著を読んで対ロ交渉を進めてほしい

京都大学名誉教授　市村真一

目をうるませた朝

昨年十一月十五日の朝は驚きました。郵便受から新聞を取上げた途端「木村汎教授死去」の大文字が目に飛込んだからです。一瞬目を疑い、再見三見して間違いないと知り、大声で家内に叫びました。「オーイ、たいへんだ！　木村くんが亡くなった、かけがえのない学者を失った！」言いつゝ目が潤んできました。

「この間、産経新聞の正論大賞授与式で、奥様もご一緒にお話したあの人だ。彼と袴田が居るからと皆が頼みにしていた、あゝ国の宝だったのに！　愈々（いよいよ）これからが大事なのになあ！　残念！」

ソ連・ロシア研究六十年

木村さん、貴方は世界が注目するロシア研究者で、猪木正道先生門下の逸材で愛（まな）弟子でした。一九三六年法学者を父に朝鮮の京城（現ソウル）で生れられました。辺境生れには心の広い愛国者が多いと言いますが、貴方もそんなお一人でした。京大法学部に進学、六〇年卒業、学者を目指され、六二年修士、博士課程に進学、六六～六八年米国コロンビア大学に留学し、博士号を得て帰国。神戸学院大に就職されましたが、七〇～七二年は外務省の調査員を委嘱され、露都モスコーの真只中で二年間、日ソ外交官と交流しつゝ、じかにロシア社会とロシア語を勉強されました。同じアパート団地の隣人に、後の駐露公使や他国大使をされた河東哲夫（はるお）氏がおられて、炯眼よく「ソ連政府は怖い研究者が一人いるのを見落としている」と話されていたそうです。

七二年、北海道大学法学部に移られ、やがて、独立した今のスラブ・ユーラシア研究センターの看板教授として一九九一年まで研究を主導されました。同年ご両親がお住いの京都の国際日本文化研究センター（日文研）教授となり、二〇〇二年に退官された。北海道での二十一年間と京都での十一年こそは、良き同僚と優れた研究環境を得て貴方の黄金時代であったことでしょう。しかし〟生涯一研究者〝がモットーと承った貴方は、なお拓殖大学の客員教授をされながら研究を継続され、却って浩瀚な大著を次々と刊行して我々を驚嘆させました。

物凄い著書論文目録

実は日文研において「木村汎教授著書論文目録」が同僚戸部良一教授の手によって整理されており、貴殿退官時に出来ていた目録は、多分その後貴殿やご夫人の協力を得て完成し、この度同僚猪木武徳教授のお世話でその後の出版物を加えて、私に届けられました。その冊数は総計１５８。内：邦文単著21、共著９、編著５、邦文共編９（小計39）、英単著３、英単編１、英共編１、単著露訳１、単著中訳１（小計７）：また論文は、実に邦文１０１、英文６（小計１０７）です。

これは、単純にまず数として驚きです。貴論文の第一号は、一九六二年『法学論叢』に発表された「ウクライナのソヴェト化　一九一七～二〇年」で、それから今年まで約六〇年の間に、上記の如く、英文６を含め、論文は１０７本、年平均１・８論文であり、書物は、外国語の７を含め、邦文39と計46冊、六百頁を越える大著が五、六冊あることを度外視しても、六〇年間に47冊は多い。世界にそんな著者は数えるほどしか居ない。

木村学説の魅力

しかも貴方のロシア研究には敵も多い。言うまでもなく、ロシア研究は北方領土問題と不可分ですから。それを一例として言えば、鈴木宗男氏等の如く、二島返還プラスアルファで満足せよ、というのでなく、貴見も私も、あくまで頑強に四島返還をと主張する。だから、ロシアが折れなければ、決裂やむなし、との立場です。現在よりも我が方に有利な時が来ると判断しており、それが正義にかなうと信じるのです。

私は、これからのロシアに、ソ連崩壊前のプラハの春の叛乱の時に、これを蹂躙したソ連が、ゴルバチョフ時代に態度を一変したのと同じ様な変化が起り得る、と考える。目下の石油価格暴落の如きはその一例である。同様の事態は、中国にも起り得る。ＩＴ革新の進行して行く近未来社会は、権威主義統治が難しい時代だと考える。

木村教授は、ロシア人のものの考え方や交渉の仕方について、他の先進国の実状と異なる点を色々事細かく追究しておられ、非常に参考になる。我等は、教授なくとも著述を参考に、愈々対ロ交渉に対処せねばならない。

（四月二十九日）

連載　今、日本は　13

コロナショックに想う

鎌田 慧

百年ぶりのパンデミック(世界的大流行)と言われる新型コロナウイルス感染症。死者はすでに世界で一六万人(四月二十日現在)を超えた。日本は四月同日で公表一万一千人、死者二六〇人。感染者は死者ともにまだまだふえそうだ。

忘れられていた「スペイン風邪」は、一九一八年からの三年間で二〜四五〇〇万人以上の死亡、日本でも四五万人といわれている。第一次世界大戦中だったので、その経験がよく伝わっていなかった。第一波より第二波の方が致死率が高かったから、これからが大変だ。おそらく、来年もオリンピックどころではなくなるだろう。戦後も、わたしたちは「忘れた頃にやってくる」(寺田寅彦)自然災害にはなんどか遭ってきた。が、今回のような巨大災害はすくなかった。阪神淡路大震災、東日本大震災、福島原発爆発事故(自然災害ではないが)などがあって、今回の感染症爆発。

自然の征服、繁栄、近代化文明などと傲(おご)り高ぶってきた鼻っ柱を、叩き折られるような打撃である。生産拡大によって二酸化炭素がふえて温暖化を招き、南極や北極の氷山を溶かし、アマゾンやオーストラリアなどで森林大火災が頻発。四月下旬、国連機関の世界食糧計画(WFP)は、新型コロナウイルスの影響によって、貧困国や紛争地域を中心に、一億三千万人が今年末までに餓死する可能性がある、と報告している。人道的な支援をはじめようとする警告だ。

食糧危機は南北の経済格差であり、富めるものによる貧しき者からの食糧強奪でもある。アメリカ農業に依存させられる日米貿易協定が、日本の食糧自給率を低めてきた。これからさらに種苗法改悪で、農産物ばかりか、海外の種苗会社が販売するF1種(一代交配種)への依存が強まる。

コロナショックに遭遇して、安倍首相の無能、無力への不満が強まり、強い権力待望論が出てきた。が、農産物と種苗の自給ばかりか、市民意識の自立なくして、未来のいのちを守ることはできない。

(かまた・さとし／ルポライター)

リレー連載　近代日本を作った100人　74

田口卯吉――国家草創期のリバタリアン

河野有理

明治のリバタリアン

田口卯吉は、安政二（一八五五）年に生まれ、明治三十八（一九〇五）年に没した。安政二年と言えば日米和親条約締結の翌年。没年は日露戦争終結の年。近代日本が、「坂の上の雲」を目指して駆け上がるその軌跡と、田口の一生は大きく重なっている。自らの青春と「国家の青春」期を重ねる幸運を得た人には往々見られることだが、現在ではおよそ重ならないように見える様々な領域において、八面六臂の活躍を見せた。政治家であり、冒険家であり、実業家であり、学者であった。「近代日本」の国家形成に大きな役割を果たした人物。一見すると田口はそうした人物に見える。

だが、彼の代表作の一つであり、明治十一（一八七八）年、弱冠二十四歳で出版した『自由貿易経済論』に改めて目を通してみると、上記の印象は大きく修正を迫られることになる。少なくとも彼が近代日本「国家」形成の担い手だったと無邪気に言うことは難しい。というのも、この書はいわばリバタリアニズムの理論書だからである。大久保利通が主導した殖産興業政策に対する苛烈な批判者だった田口を支える政治哲学とはたとえば以下のようなものだ。

> 政事上の区分は経済社会に取りて重大の件ならざることを見るべし、故に苟も人間の皮を被むり此地上に立つものは宜しく活眼を開きて社会の眞状を考察し吾人の最も制馭を受くるものは政府に非らずして経済世界の衆需に在ることを尋思せよ……吾人は経済世界の自由民にして其支配を受ることは政府の支配を受くるより頻且つ切なることを見るへし　（『自由貿易経済論』）

需給関係の網の目が織りなす「養成の地」、つまり「市場」、この大きさと機能こそが問題なのであって、政府はそこに関与できないし、するべきでもない。後に屈辱的な「不平等」条約としてその改正が国家的目標となっていく関税障壁の不在と、それにともなう世界市場との半強制的常時接続状態という脈絡がかろ通じて彼の理論の歴史的リアリティを支えていた。とはいえ、国家形成（state building）期のまさに真っただ中にあって、彼のこの「自由放任」主義はやはり奇矯であった。

徳川国家の崩壊感覚

思い起こすべきは、彼が経験したのは明治国家の形成だけでなく、徳川国家の崩壊でもあったということだろう。徳川「瓦解」の年、彼は十四歳。すでに父を亡くしていた彼は、徳川家達（いえさと）に伴い静岡に移住し辛酸を嘗めたという。後の世代には自明だった社会的諸制度の安定感は、彼には無縁だった。

国家崩壊の経験がもたらす、いわば本能的なリバタリアニズムの感覚は、彼のもう一つの主著『日本開化小史』にも横溢している。「保生避死」、生を保ち死を避けようとする人間の本能を軸に、「貨財」と「人心」の相互作用の展開として「開化」を把握するこの歴史書において、国家の地位はやはり高くない。刻々と変わりゆく「政府の組立」は、「貨財」や「人心」の交通の転轍機として重要な役割を果たすとはされるものの、そこで描かれるのは間違っても「悠久の国家の歴史」などではない。

最初に見たように、彼自身もまた明治国家形成に尽力した功労者の一人たることは間違いない。人並以上の愛国心を持ち合わせてもいた。しかし、彼が愛した「国家」とはあくまで、個々人の生活の本能から積み立てられた手作りの「小さな国家」であった。国家の存在が「大いなる全体」として自明視されることの多いその後の近代日本思想史の流れのなかで、彼の政治思想は「あり得たかもしれない」もう一つの日本の姿を描いているのである。

（こうの・ゆうり／東京都立大学教授）

▲田口卯吉（1855-1905）
卯吉は通称、名は鉉、字は子玉、号は鼎軒。1855年徳川家の徒士である田口家の江戸目白台徒士屋敷に生まれる。1868（明治元）年、徳川家の静岡転封に伴い静岡移住。翌69年、沼津兵学校、1872年、共立学舎に入学。同年10月より大蔵省翻訳局上等生徒、1874年、大蔵省紙幣寮一一等出仕。1877年、『日本開化小史』刊行開始。1879年『東京経済雑誌』刊行開始。1880年、府会議員当選。1883年、東京株式取引所肝煎。1888年、小田原電鉄取締役。89年、東京市会議員、90年、士族授産金事業のため南洋渡航。1894年、衆議院議員。1905年没。この間、主著として他に『自由貿易日本経済論』、出版事業の成果として『史海』『大日本人名辞書』『群書類聚』『国史大系』『泰西政事類典』等。

■〈連載〉沖縄からの声［第Ⅷ期］3（最終回）

琉球処分一四〇年

高良　勉

昨（二〇一九）年は、明治の琉球処分から一四〇年目の記念すべき年であった。『沖縄タイムス』紙は、『琉球処分』一四〇年と沖縄」という企画を長期連載した。そこで、「琉球処分」をめぐる現在の議論を概括し、考察してみたい。

そもそも沖縄県の出現を、どう評価し何と表現するか。私たちが高校生の頃は、「廃藩置県によって沖縄県となった」と教えられていた。しかし、琉球王国の滅亡を廃藩置県一般で説明することはできない。何故なら、明治天皇は全国的な廃藩置県の翌年（一八七二）に最後の国王・尚泰王へ「琉球藩王と為し華族に列す」旨の冊封詔書を渡し、琉球王国を亡ぼして「琉球藩」を設置したのである。

そこで、現在の高校の教科書では「一八七九（明治十二）年には、日本政府は琉球藩および琉球王国の廃止と沖縄県の設置を強行した（琉球処分）」（『日本史B』山川出版社）と表現されている。

琉球藩設置から七年後の一八七九年三月二七日、琉球処分官松田道之は六〇〇余人の日本兵と警官に護衛されながら首里城に乗り込み、「琉球藩廃止、沖縄県設置」を宣言した。この時点を琉球処分と呼ぶことが多い。

しかし、**沖縄の歴史家は、一八七二年の琉球藩設置から七九年の沖縄県設置に至る期間の措置を琉球処分と呼んでいる。**そこで、西里喜行はこれらの過程を「廃琉置県処分」と称することを提唱している（『沖縄県の歴史』山川出版社）。

そして現在では、琉球処分より「**琉球併合**」と評価して表現する事例が増えている。波平恒男は『近代東アジア史のなかの琉球併合』（岩波書店）で強制併合を分析し、「二つの併合、琉球と朝鮮」を比較・検討している。

一方、琉球併合に対し琉球王国側は激しい抵抗運動を展開した。清国に救済を求めて嘆願をくり返した。これら抗日の思想と行動は、後田多（しいただ）敦『琉球救国運動』（Ｍｕｇｅｎ）で詳しく研究されている。

ところで、琉球併合翌年の一八八〇年に、日本政府は「琉球分割条約」問題を清国との間に引き起こしている。琉球併合の分析、評価はまだ定まっていない。

（たから・べん／詩人）

■連載・花満径　50

高橋虫麻呂の橋（七）

中西　進

ところで橋といえば、戦争を避けて通れない。城一つとっても、周りの堀割りは必須だし、大坂城冬の陣の結果が堀埋めだったことも、よく知られている。

すでに辞書ことばの一つに「橋合戦」がある。むしろ合戦がもっとも熾烈を極めるのは、橋合戦だったといえるだろう。

だからそれは、日本史においても古代最大の政権の争奪戦、壬申の乱の時も、例外ではなかった。『日本書紀』（天武天皇元年七月）は、大海人皇子の軍を東に、大友皇子の兵を西に配した瀬田の大橋を挟む決戦を、乱のクライマックスとして描写する。まず冒頭に大友方の大軍は「旗幟野を蔽し、埃塵天に連なる。鉦鼓の声、数十里に聞ゆ。列れる弩乱れ発ちて、矢の下ること雨の如し」だったと。

じつはこの部分は、そっくり中国の『後漢書』（光武帝紀）の引用であり、後のち日本に流行した合戦記は、ここから出発する。

さらに『万葉集』にも、持統朝に活躍した柿本人麻呂によって、時の将軍、高市皇子の死を悼む挽歌の中にこれが引用された（巻2一九九）。

ただ人麻呂は、これが「橋合戦」であることをすこしも匂わさない。むしろ大平原に展開された、雌雄を決する大合戦だったかのごとく歌うばかりだ。

さて、虫麻呂は歌の大先達、柿本人麻呂が『日本書紀』の橋合戦をすっぽり隠してしまったことを、知らないはずはないだろう。

同じく宮廷に奉仕し、歌を得意とした虫麻呂は、人麻呂の大傑作がじつは橋合戦の激戦だったことを、十分知りながらあえて正反対の、長閑たる白昼の橋を仕立て上げ、ドラマもどきの人影や空想の愛欲の構図を描いたのではないか。

虫麻呂に先立つ時代の、橋の風俗はすでに見た。虫麻呂の作品はもとよりこれらの風物詩の流れの中にあるが、傑出した叙事詩人としての虫麻呂を衝き動かしていたものは、むしろ激越な橋の風景だったはずである。

（なかにし・すすむ／国際日本文化研究センター名誉教授）

連載　歴史から中国を観る　5

儒教は漢字の教科書

宮脇淳子

かつて中国・韓国・日本をひとくくりにして「東アジア儒教文化圏」と呼んだ人がいたが、最近は聞かない。中国が世界中に広めた「孔子学院」で『論語』の精神を教えているわけではない。では、中国人にとって儒教とは何か。

前回述べたように、始皇帝による文字の統一は、「口頭で話される言語」の統一ではなく、「漢字の書体」と、その漢字に対する読み音を一つに決定したことだった。

それ以前の戦国七国では、国によって漢字の書体が違っており、読み音も異なっていたから、外交文書を取り交わそうとしても、相手の文書そのものが読めなかった。そのコミュニケーション・ギャップを埋める役割を果たしたのが、儒教集団だった。

当時すでに儒家は、『詩経』『春秋』『易経』といった古典を神聖視し、その読み方を厳密に定めていた。儒家が書いた文章をやりとりすれば、外交文書の行き違いが起きない。そこで諸国は競って儒家を雇い入れた。孔子の弟子たちが対立関係にある国に派遣されて行ったこと、孔子自身を含め、儒家に一国の宰相になった人がいないという事実は、かれらが、あくまで文書作成の技術者と認識されていたということを裏付ける。

漢字を使いこなすためには、一つずつの漢字が持つ意味がわからなければならないが、それを説明する文字は他にない。だから、古典の文章をまるごと暗記して、文脈を思い出しながら使うしかなかった。

六五三年、『五経正義』が科挙の国定教科書になり、宋代以後は「四書」が教科書になった。文章を綴るときには教科書の語彙を使うわけだから、漢字を学ぶ者は全員儒教徒に見えるだけである。漢字を知らない大多数の人々にとって、儒教は縁のない世界だった。

「名は実の賓なり」(『荘子』「逍遥遊」篇)という言葉があるが、言葉は真実にとってお客さんにすぎず、真実をコントロールしえないという意味である。今、中国人が、真実でないことを平気で言葉にできるのは、そのせいではないかと私は思う。

(みやわき・じゅんこ/東洋史学者)

■連載・アメリカから見た日本　5

銃器店だけが開いている

米谷ふみ子

『ボストン・グローブ』紙が「大統領の手に血痕が付いている。彼は気に入りの州にだけ足りない医療器具を送っている」と書いている。大統領の義務は国民の安全を守ることなのだが、トランプ大統領は医療器具が足りないのは彼の落ち度なのに、「文句を言っている知事たち（NY州、CA州のこと）は事前に用意していなかったのか」と、自分のことを棚に上げて叩いたり、記者会見でCNNテレビの記者が質問すると、「君のテレビ局はフェイク・ニュースを流すから返事をしない」と皆の前でその記者を辱める姿が放映されていた。

今、救急処置をしている医者、看護師が、医療器具が足りないので自分たちをコロナ・ウイルスから守れず、死んでいっている。それなのにトランプは何もしない。

そこで、CA州やNY州他の知事たちは外出禁止命令を出した。スーパーと薬局を除いては買い物に出るな、家で蟄居せよという。戦争中を思い出す。殊に六十五歳以上の年寄りは外をうろうろするな、食堂は出前は良いが食事はできない、人と人との間は二米（メートル）隔てろ（喋って唾が届かない距離）、生命維持に関係のない他の店は全部閉じろという。学校も、小学校から大学まで閉じて来年度まで明けない。家でオンラインで勉強せよという。

町の商店は全部閉まり、開いているのは銃を売っている店だけで、人が行列を作っている。物騒な話である。どこにも行けないので、鬱憤を晴らすために、何かを撃つ？　アメリカ人はもちろん銃器規制をする気は毛頭ない。憲法で銃を持つことを認められている。それでも、銃のなかった日本で戦後育った私は、こういうことを聞くと、身の毛がよだつ。

あるコメディアンが「ほとんどの店が閉まっているのに、銃を売っている店が大繁盛とは、一体この人たちは銃を買ってどうするのだ？　コロナ・ウイルスを撃つつもりなのかなあ」と言って笑っていたが、笑い事ではない。

トランプを初め共和党の政治家がライフル協会から選挙資金を貰っているので、店を閉じよと言えないのだ。

（こめたに・ふみこ／作家、カリフォルニア在住）

Le Monde

■連載・『ル・モンド』から世界を読む［第Ⅱ期］45

コロナと『ペスト』

加藤晴久

中国がコロナ・ロードなる新シルク・ロードを世界中に開通させた。習近平が唱えるチャイナ・ドリーム（世界制覇の夢）が成就した！　国家主席を囲む、全員が白の人民服の一大集団が犠牲者を悼むと称する光景はまるで勝利の祝賀式典であるかのようだった。対するに、後進国日本は米欧先進諸国に追いつけ追い越せとばかりに精を出している。

四月一〇日（五月号原稿締め切り日）現在の状況である。これでは、どんな話題も関心を寄せて貰えそうもない。

三月三日付（電子版）にアルベール・カミュの『ペスト』に関する記事が載っていた。日本や韓国でなく、イタリアの話である。

コロナウイルスが猖獗（しょうけつ）をきわめているイタリアで『ペスト』が驚異的な売れ行きを見せている。「二月二七日付『ラ・レプブリカ』紙によると、ネット通販で七一位から三位に躍り出た」

フランスではその気配はない。発行元ガリマール社によると、もともとこの作品はコンスタントに売れており、感染症の影響は感じられない。

その理由は、フランスでは『ペスト』はナチズムのアレゴリーであることがはじめからよく知られているからでもある。一九五五年、ロラン・バルトへの書簡の中で、作者自身がそう述べている。この物語は「ナチズムに対するヨーロッパのレジスタンスの闘いを記述したものです。その証拠に、名指しされていませんが、ヨーロッパのすべての国で、すべての人がこの敵をそれと認識しました。『ペスト』はある意味でレジスタンスの記録（クロニック）以上のものです。しかし、間違いなく、それ以下のものではありません」

すぐれた文学作品は作者の意図を超えた、多様な読み方をされるものであるということの例証であろう。

四月九日のNHK・TVニュースによると、邦訳は増刷に次ぐ増刷で、これまでの総部数は百万部を超えたという。

新訳が進行中という話も聞こえてくる。よりよい翻訳により、よりよく賞味されることを期待したい。

（かとう・はるひさ／東京大学名誉教授）

四月新刊

心性史を継承するアナール派の到達点！

感情の歴史　全3巻

A・コルバン／J-J・クルティーヌ／G・ヴィガレロ 監修

I 古代から啓蒙の時代まで

G・ヴィガレロ編

片木智年監訳

発刊

感情生活に関する物質的、感覚的な系譜学という観点から、かつて心性史によって拓かれた道を継承する、アナール派の歴史学による鮮やかな達成。『身体の歴史』『男らしさの歴史』に続く三部作完結編、遂に刊行開始。

カラー口絵24頁

A5上製　七六〇頁　八八〇〇円

各地の「原風景」を訪ね価値観の根源を問う

日本の「原風景」を読む

危機の時代に

原　剛　写真＝佐藤充男

海、山、川、野鳥、里山……生活全体の産業化・科学技術化が高度に進展する一方、多くの自然災害の到来により我々の存在の基盤が揺さぶられている今、「環境日本学」の提唱者が、ナショナリズムを超えた第四の「風景」論に挑む。

カラー口絵8頁

四六判　三二八頁　二七〇〇円

「在日」と「日本」を全身で問う

金時鐘コレクション　全12巻

10 真の連帯への問いかけ

「朝鮮人の人間としての復元」ほか　講演集I

［第6回配本］

在日朝鮮人と日本人の関係を問い直し、"連帯"と詩を追求する、七〇年代〜九〇年代半の講演を集成。

〈解説〉中村一成

月報＝金正郁／川瀬俊治／丁海玉／吉田有香子

口絵2頁

四六変上製　三九二頁　三六〇〇円

＊五月刊になりました

17歳とともに「生きる」を考える

中村桂子コレクション　いのち愛づる生命誌　全8巻

6 生きる　17歳の生命誌

経済優先・効率優先の現代社会を生んだ機械論的世界観を脱し、「生きること」を中心にする社会をめざして。

［第5回配本］〈解説〉伊東豊雄

口絵2頁

四六変上製　三六〇頁　二八〇〇円

昭和の名優、最後の文人の集大成

全著作〈森繁久彌コレクション〉　全5巻

内容見本呈

4 愛——人生訓

「自由のハキ違いが、『らしさ』を失わしめた」——人生のさまざまな場面で、だれの心にもしみる一言。

［第4回配本］〈解説〉佐々木愛

口絵2頁

四六上製　三六〇頁　二八〇〇円

読者の声

全著作〈森繁久彌コレクション〉③

情―世相■

▼遠い昔、演劇青年だった私にとって、森繁コレクションの刊行は、嬉しくてなりません。

斯界の至宝ともいうべき氏の功績を活字等で振り返ることができることは、至福の時間です。不世出の俳優の姿が、目蓋によみがえります。ありがとうございます。

（愛知　**鈴木庸規**　70歳）

いのちを刻む■

▼『毎日新聞』に「学校とわたし」の欄で木下晋さんが出ていて、すぐ切りぬいて、本屋に持っていって注文する。今か今かとまっていると、書店よりＴＥＬですぐに購入してむさぼるように読みつづけました。一行一行心を打つ。第四章、荒川修作氏との出会い、おくすることなく自分の心をしめていた心のシコリを一気にしゃべって、それへの荒川氏の答えがすばらしい。本当に感動。それを素直に受けとり、私の人生が逆転した瞬間、といただく木下晋さんの素直な心、本当にこの世の中に阿弥陀様の化身がいるんだと思いました。

（大分　浄土真宗本願寺派光樹山西方寺前住職　**北條祐熙**　78歳）

ベルク「風土学」とは何か■

▼日本の哲学がベルクの哲学に大きく影響を与えていることを知り、驚きました。また、川勝知事の興味の広さにも驚きました。非常に楽しく読むことができました。

（秋田　高等学校教員　**小松田信之**　56歳）

〝フランスかぶれ〟ニッポン■

▼経済学のイメージしかなかった橘木氏による〝日仏文化交流（輸入）史〟のような内容を興味深く拝読させて頂きました。私はフランスに行ったことも行くこともないのですが、現在のフランスにはテロ、失業、移民難民問題、ストといったマイナスイメージしかありません。それでも、もし彼の地に滞在することがあれば、やはり「かぶれてしまうのかな」などと考えてしまいました。真剣に……。

（神奈川　会社員　**松岡敬介**　56歳）

いのちの森づくり■

▼仕事の関係で横浜国大を訪ねた際、学生の新聞で紹介されており購入。読書は苦手な私ですが、一気に読み終え、大変に感動しました。

宮脇氏の著作をぜひ今後も出してほしいと思います。

（電気修理業　**三木拓也**　42歳）

国難来■

▼『産経新聞』の新保祐司さんのオピニオン欄を見て、後藤新平について、断片的には知って居りましたが、本人について論じられたものを読んで居りませんので、本当に理解することができました。有益な書物、読物でした。

（熊本　元自衛官　**古澤万亀生**　91歳）

金時鐘コレクション⑦

在日二世にむけて■

▼在日朝鮮人として生きる金時鐘の魂の軌跡が強烈に心に響く。

植民地にされたということの精神内部への無限の圧力のすさまじさを知る。

朝鮮人を押し殺し、日本人として生き、日本語、日本の思想を日本人として受けとめ尊重して育ってきたことをすべて振り払って朝鮮人をとり戻す。植民地の日本語を在日朝鮮人の日本語として、自分のことばとして書いていく葛藤。在日朝鮮人という存在を一人の人間として、一人の詩人として生きていくということの強烈な覚悟。

　しかし、このことこそが、金時鐘という詩人を世界に一人の詩人として屹立させている。

（東京　介護職　**福地秀子**　72歳）

「大正」を読み直す■

▼私は大正期の思想史をカンブリア爆発の頃と同じようなものだと考えていました。覇者アノマロカリスがロシア革命の影響を受けたボルシェビズム、目が五つのオパビニアがその息子たるサンジカリズム、なんだか上下さえもわからないハルキゲニアが、まだ未分化な国家社会主義の諸勢力、あれこれ突然のように出現する楽しみに耽っておりましたが、子安さんのようなまじめな「読み直し」を全くやってこなかったことを深く恥じ入りました。

（奈良　学習塾経営　**杉浦功**　55歳）

※みなさまのご感想・お便りをお待ちしています。お気軽に小社「読者の声」係まで、お送り下さい。掲載の方には粗品を進呈いたします。

書評日誌（二月号〜三・二一）

(書) 書評　(紹) 紹介　(記) 関連記事
(イ) インタビュー　(TV) テレビ　(ラ) ラジオ

二月号　(書)島嶼研究「日本ネシア論」（宮内久光）

三・二　(記)東京新聞「三島由紀夫 vs 東大全共闘」（「大波小波」／「三島由紀夫の真実を見る」）

三・二　(記)日本経済新聞（夕刊）［石牟礼道子さん三回忌の集い］（「夕刊文化」）／「石牟礼道子没後2年」／「広く深い「海の声」再評価」／郷原信之）

三・三　(記)産経新聞「日本を襲ったスペイン・インフルエンザ」（「産経抄」）

三・四　(記)東京新聞［石牟礼道子さん三回忌の集い］（「文化」／「石牟礼文学　尽きぬ思い」／「都内など　三回忌に作家ら集う」／鈴木久美子）

三・六　(書)週刊読書人「いのちを刻む」（「読物文化」／「残酷な作業、慈しみ、懸命に生きる姿を刻む作業」／歌代幸子）

三・七　(記)読売新聞「日本を襲ったスペイン・インフルエンザ」（「仁王立ちで立ち向かえ」／橋本五郎）

三・八　(書)中国新聞「いのちの森づくり」（「雑草の人　緑の防潮堤へ」／佐田尾信作）
(紹)サンデー毎日（特大号）「いのちを刻む」

三・八〜　(書)共同配信「いのちを刻む」（「深い孤独、尊厳との共振」／鎌田慧）

三・一四　(書)図書新聞「資本主義の政治経済学」（「特集　メディア・資本主義・歴史」／「商業社会と現代経済、政治と美学、哲学を新たに読む四冊」／「レギュラシオン理論の到達点と展望」／「経済学や現代資本主義分析のテキスト」／横田宏樹）

三・一五　(書)毎日新聞「いのちを刻む」（「孤独の闇の底　光持つ鉛筆画」／堀江敏幸）

三・一六　(書)毎日新聞（大阪・市内版）「全著作〈森繁久彌コレクション〉」（「森繁久彌さんの遺筆集める」／「全5巻の「コレクション」」／「藤原書店刊行　自伝、芸談など」／戸田栄）

三・一九　(書)聖教新聞「いのちを刻む」（「文化」／「鉛筆画が開く世界」／「自伝「いのちを刻む」の著者　木下晋氏に聞く」）

三・二一　(記)新美術新聞「いのちを刻む」（「美・友・人」／「56年目の自分との再会」／木下晋）
(記)朝日新聞「世界の悲惨」（「情報フォルダー」）

六月新刊予定

＊タイトルは仮題

個人に留まらぬ歴史的社会的日記！

J・ミシュレ
日記 Ⅰ 全2巻 本邦初訳
一八三〇〜一八四八年

大野一道 編
大野一道・翠川博之 訳

「ミシュレの日記はフランスの告白文学において最も驚嘆すべきものの一つ」（『ル・モンド』一九五〇）。浩瀚な『フランス史』全六巻を著した大歴史家の日記。Ⅰは七月革命（一八三〇）から二月革命（一八四八）への移行期。妻や父との死別を経て、個と、人類という普遍との運命を思い見る全体史家の姿が浮き彫りに。

銀幕の名優による名文の集大成！

全著作〈森繁久彌コレクション〉全5巻 内容見本呈
5 海——ロマン 完結

森繁久彌 〈解説〉片山杜秀

「船には私の大好きな名前をつけた。MAY・KISS。五月の薫風が帆一杯に接吻する時、私を乗せたこの四畳半は一切のわずらわしさから私を断って、縹渺とした大洋の上を私の意のままに漂い流れ走ることであろう」。人と文化をつなぐ〝海〟を愛し、七十八歳で日本一周をなしとげた森繁さん。【最終配本】

「日本には二つの中心がある」

楕円の日本
日本国家の構造

山折哲雄
川勝平太

「日本」における芸術・文化・宗教の二千年史を、グローバリゼーションの今、どう捉え直すのか？ 国家と国土、権力と権威、聖と俗、芸術と宗教などの「二つの中心」によって織り成される日本の知と文化が、今どうあるべきか、宗教学者・山折哲雄と、経済史家・川勝平太が徹底討論！

書評とは、本の中に「人間」を見つけること

虚心に読む
書評の仕事 2011-2020

橋本五郎

「書物の数だけ思想があり、思想の数だけ人間が居る」（小林秀雄）——長年にわたって読売新聞の書評委員を務めてきた著者が、小林秀雄の読書論を導きに、「人間」を見出す書評に取り組んだ書評集、第二弾。長短の書評に加え、単行本解説、書物論、そして書物を通じた小泉信三論を収録。

5月の新刊

タイトルは仮題、定価は予価。

黒田勝雄写真集
最後の湯田マタギ ＊
黒田勝雄　推薦＝瀬戸内寂聴
B5上製　一四四頁　二八〇〇円

評伝 関寛斎 1830-1912 ＊
極寒の地に一身を捧げた老医
合田一道
四六上製　三二八頁　二八〇〇円

内田義彦の学問 ＊
山田鋭夫
四六上製　三八四頁　三三〇〇円

金時鐘コレクション（全12巻）
10 真の連帯への問いかけ ＊
「朝鮮人の人間としての復元」ほか　講演集Ⅰ
〈解説〉中村一成　口絵2頁
月報＝金正郁／川瀬俊治／丁海玉／吉田有香子／
四六変上製　三九二頁　三六〇〇円

6月以降新刊予定

J・ミシュレ 日記 Ⅰ（全2巻）＊
一八三〇～一八四八年
大野一道編　大野一道・翠川博之訳

全著作〈森繁久彌コレクション〉（全5巻）
5 海——ロマン ＊
〈解説〉片山杜秀　内容見本呈

虚心に読む ＊
橋本五郎

楕円の日本 ＊
日本国家の構造
山折哲雄　川勝平太

別冊『環』㉕
高群逸枝 1894-1964
芹沢俊介・服藤早苗・山下悦子編

生きているを見つめ、生きるを考える
中村桂子

好評既刊書

感情の歴史（全3巻）
A・コルバン／J-J・クルティーヌ／G・ヴィガレロ監修
Ⅰ 古代から啓蒙の時代まで ＊
G・ヴィガレロ編　片木智年監訳
A5上製　七六〇頁　八八〇〇円　カラー口絵24頁

全著作〈森繁久彌コレクション〉（全5巻）
4 愛——人生訓 ＊
〈解説〉佐々木愛　内容見本呈
月報＝池辺晋一郎／本條秀太郎／林家正蔵／原荘介
四六上製　三六〇頁　二八〇〇円　口絵2頁

中村桂子コレクション（全8巻）
いのち愛づる生命誌
6 生きる ＊
17歳の生命誌　〈解説〉伊東豊雄
月報＝関野吉晴／黒川創／塚谷裕一／津田一郎
四六変上製　三六〇頁　二八〇〇円　口絵2頁

日本の「原風景」を読む ＊
原 剛　写真＝佐藤充男
四六判　三二八頁　二七〇〇円　カラー口絵8頁

世界像の大転換
リアリティを超える「リアリティ」
北沢方邦
四六上製　三〇四頁　三〇〇〇円

生き続ける水俣病
漁村の社会学・医学的実証研究
井上ゆかり
A5上製　三五二頁　三六〇〇円

中国人が読み解く**歎異抄**〈中国語訳付〉
張鑫鳳 編
四六上製　二〇〇頁　二八〇〇円

高橋和巳論
宗教と文学の格闘的契り
清 眞人
A5上製　五七六頁　六二〇〇円

世界の悲惨 ⅠⅡⅢ（全三分冊）完結
P・ブルデュー編
監訳＝荒井文雄・櫻本陽一
A5判　五〇〇頁平均　各四八〇〇円

＊の商品は今号に紹介記事を掲載しております。併せてご覧戴ければ幸いです。

書店様へ

▼石田紀郎さん著『**消えゆくアラル海 再生に向けて**』が4／11(土)『日経』読書面「この一冊」にて山根一眞さんが絶賛書評。琵琶湖のほとりで育ち、農学の道に進んだ著者がアラル海消滅の危機にあるカザフスタンに通いつめ、その真実を描き出した画期作。在庫のご確認を！
▼**全著作〈森繁久彌コレクション〉第3巻『情——世相』**が4／15(水)『朝日』「折々のことば」にて鷲田清一さんが紹介。「理屈をつけたものは、みんな滅んだり衰えたりする。理屈がないことが何よりだ。」既刊分とともに在庫のご確認を！
▼『**いのちを刻む 鉛筆画の鬼才、木下晋自伝**』が4／18(土)『産経』読書面「産経書房 本ナビ＋1」にて俳優の寺田農さんが絶賛紹介。在庫のご確認を！▼『**日本を襲ったスペイン・インフルエンザ**』が大増刷。『文藝春秋』5月号や『週刊文春』4／30号緊急対談「感染症が世界史を変えてきた」ほかにて取り上げられております。パンデミック研究の圧倒的金字塔、大きくご展開を！
（営業部）

■次号予告　2020年6月号

〈特集〉ウイルスとは何か

中村桂子／村上陽一郎／西垣通

「河上肇賞」募集中!!

第16回 河上肇賞

◎優れた未発表論考を本にする、画期的な出版賞。

【審査対象】12万字～20万字の日本語による未発表の単著論文（一部分既発表でも可）。経済学・文明論・文学評論・時論・思想・歴史の領域で、狭い専門分野にとどまらない広い視野に立ち、今日的な観点に立脚し、散文としてもすぐれた作品。

【提出〆切】二〇二〇年八月末日　必着

【選考委員】赤坂憲雄　川勝平太　新保祐司　田中秀臣　中村桂子　橋本五郎　三砂ちづる　藤原良雄

出版随想

▼今月は、戦後、ようやく本格的に光が当たり出してきた後藤新平を特集してみた。小社が、後藤新平に着目し、プロジェクトを起ち上げて二〇年になる。まず、各巻千頁は優に超える鶴見祐輔著『後藤新平』全四巻（後藤新平伯伝記編纂会編）を素読するところから始まった。この大冊は、鶴見も序文で書いているように、自分がやったことは、後藤伯の一次資料をつないだだけである、と。この伝記編纂の仕事は、新渡戸稲造を中核に、当時一級の歴史学者などが協力して、集め、編集され、アンカーとして鶴見がまとめたものである。一九三七～三八年の出版というから、後藤の死後十年足らずで出版に至ったとは驚くべき速さである。しかも、現在においても、この本を超える後藤新平の全体像を捉える本はない。「集中力恐るべし！」だ。

▼後藤新平の命日は、一九二九年四月一三日である。その三ヵ月後に、四〇〇頁近い『吾等の知れる後藤新平伯』が出版されている。徳富蘇峰、大川周明、石黒忠悳、新渡戸稲造、下村海南、白鳥庫吉、松岡洋右、星一、藤原銀次郎、辜顕栄、岩永裕吉ら錚々たる名士56人が長文の追悼文を寄せている。その後も、幾多の人が折りに触れ、後藤新平を語り描いている。一国の宰相には成れなかったものの、真の政治というものを後藤ほど知り抜いていた人間はいないのではないか。関東大震災が起きて一ヶ月後の文章だ。

「国家は一人のための国家ではなく、政府は一人のための政府ではない。したがって、責任を国家に負うものは必ず無私の心で奉仕し、常に国民とともに、国民のために貢献しようと目指さなければならない。」

▼後藤新平は、有事の男である。平時にあっては、誰が政事（まつりごと）をしてもそう変わらないだろうが、事、有事に至っては、誰が舵（かじ）を取るかで全く変わってくる。今政府は、「国難」という言葉を使うようになったが、後藤が、関東大震災半年後に使った「国難」の言葉の意味を、今わが国民はしかと味わう時ではないか。

「国難を国難として気づかず、漫然と太平楽を歌っている国民的神経衰弱こそ、もっとも恐るべき国難である」

（後藤新平『国難来』より）（亮）

●〈藤原書店ブッククラブ〉ご案内●

▼会員特典は、①本誌『機』を発行の都度ご送付／②（小社への直接注文に限り）小社商品購入時に10％のポイント還元／③送料のサービス。その他小社催しへのご優待等。詳細は小社営業部まで問い合せ下さい。

▼年会費二〇〇〇円。ご希望の方はその旨お書添えの上、左記口座までご送金下さい。

振替・00160-4-17013　藤原書店

述懐している。[26]

アメリカ人の学生が、何年か前に、ある著名な日本の学者が総合雑誌に書いている論文を読んでいて、「ヒット・エンド・ラン」とはどういう意味か、いくら日本語の字引をひいてもでてこない、といった。そこでわたしは、そりゃ hit and run じゃありませんか、というと、けげんな顔をして、でも意味が通じません、という。この論文を書いた学者は、野球のゲームを念頭において書いたにちがいないのだが、アメリカ人の学生は、「ひき逃げ」の光景しか連想できなかったのである。この表現には、両様の意味があるのだから、決して意味のすりかえではない。しかし米語を母国語とするアメリカ人にとっては、俗語で表現されている意味のほうが先に頭にうかび、日本人の学者にとっては、野球の技術用語として使われる意味だけを考えたというくいちがいのために、アメリカ人にはわからなかったのだ。

戦後日本で流行した、ウェットとドライの使い分けは、英語および米語で使われる意味とは、まったくちがっている。しめっている、乾いている、という本来の意味のほかに、酒を飲む、飲まない、という意味がある。たとえば、"A wet soul is better than a dry soul."(酒飲みは酒を飲まない人間より善人だ)というような具合につかう。米語では、wet というのは、気が狂っている、という意味もある。日本人が、ドライを、割りきった、勘定高い、という意味に使い、ウェットを、その反対の意味に使っても、それは日本人の勝手だが、イギリス人やアメリカ人には通じない。

日本人のとりこみ主義と好奇心

現在、日本語の中で外来語として通用している英語をつかって、英語国民と話をしてみたら、はたして、意思は通じるであろうか。わたしは、けっして通じないと思う。逆説的だが、日本語の中に、英語が外来語として入ってくればくるほど、外来語としての英語から類推する英語をもちいて、英語国民と語れば語るほど、意思の疎通はむずかしくなる。というのは、外来語は、意味のすりかえをともなうからである。中国語を書きことばとして全面的に借用した日本人が、中国人との意思の疎通を欠くのと、おなじ事情による。

外来語と、外国語とは、はっきり区別しなければならない。外来語として中国語を日本語の体系の中にくみいれたからといって、中国語を日本人が知っているわけではない。おなじことが英語についてもいえる。日本人が、たくさんの外来語を自国の言語の中にとりいれた、ということと、日本人の外国語習得率が低いということとは、けっして矛盾しない。むしろ、外来語の比率の高い母国語をもつ国民は、外来語が外国語だと思い違いをして、外国語を習得する必要を感じなくなるかもしれない。そのような場合は、外来語を多くもつ国民ほど、外国語習得への意欲も低下するかもしれない。日本人の外国語習得率が、すくなくとも現在、国際的水準からみて低いのは、外来語の氾濫と関係があるのかもしれない。

第六に、日本語は、外来語をとりこみやすい構造をもつ。

「エンジョイする」、「プレイする」、「ダウンする」、「ランデブーする」、「アウフヘーベンする」、「ハイラーテンする」のように、「する」さえつければ、何語でござれ、動詞として通用する。「デモる」、「アジる」、「ネグる」のように、原語の後半を省略して「る」をつければ、簡潔な動詞ができる。すねる、おこる、つねるなどの本来の日本語とおなじ語感である。

「フレッシュなセンスのオートクチュール」、「クールな奴」、「クイックなテンポ」などのように、「の」や「な」をつければ、形容詞になる。「アヴェックでゆく」、「マイペースで働く」、「マーフーフー（馬馬虎虎＝いいかげん）にやっておく」のように、「で」とか「に」をつければ、動作の修飾は思いのままというわけだ。

日本語は、世界じゅうのあらゆることばの、あらゆる品詞を、自国語のふところに、無限抱擁する可能性をもつことばである。しかも、とりこんだいちいちのことばは、それぞれ自己同一性を保っていて、いつでもばらして、また違った他の自国語または外来語と、くっつけたり、ひきはがしたりすることができる部品としての役割をはたす。そして、どんなに異質の外来語が入ってきても、自己拡散的、無限抱擁的な日本語の構造を変えることがない。たとえば、わたしは、子どもの時に、こんな表現をきいたことをおぼえている。「ホァーダー、マァーダー、アサクサ、ゴー、イート、スキヤキ、ワン、マン、ビホー」。すべて部品は日本式音訳の英語であるが、文の構成は日本語のものである。「お父さんと、お母さんが、浅草にいって、すきやきを、一人前、食べました」の日本文とくらべてみると、前文では、「食べました、すきやきを、一人前」というように、語順が入れかわっているだけのちがいである。

中国語は、さきにのべたように、外来語を拒否する言語体系である。その中国語を、書きことばとして全面的にとりいれはしたが、そのことによって、日本語の外来語に対する極度に貪欲なとりこみ主義は、変わらなかった。というよりむしろ、漢字の造語法は、日本語の中で増幅され、強化され、外来語と日本語と、外来語と外来語との、接合のために活用された。このような外来語に対する日本人のとりこみ主義は、日本人の、外来の事物へのさかんな好奇心を示す、一つの重要な指摘だと考える。また、日本人の外来語のとり入れ方と、中国人の外来語に対する態度をくらべると、日本人は、外来の、すでにできあがった事物やことばに好奇心が強く、中国人は、外来のものよりも、自生のものへの関心が強く、できあがった事物よりも、創り出すことへの探究心が強い。日本人は、さまざまな外来語および自国語を、色とりどりのきれのきれはしとして愛する傾向がある。それらをたんすのひき出しにしまっておいて、時に応じて、さまざまの縫い合わせ、つぎ合わせをこころみる。種々雑多なものが雑然としてあることが大好きなのである。これに反して、中国人は、自己の伝統とかかわらせるのでなければ、外来の事物に関心をもたない。自己の伝統を主体として、外来の事物、思想、ことばと対決させ、葛藤させ、新しい統合にいたるまで、長い時間をかけることをいとわない。

次の章では、このような日本人の好奇心の向かいかたが、どのような社会構造と関連づけられるかを論じよう。

注

（1）Edmund H. Volkart, ed., *Social Behavior and Personality*, Social Science Research Council, 1951, pp. 226-31.

（2）『鉄砲記』、奥村正二『火縄銃から黒船まで』岩波新書、一九七〇年、二二頁より引用。

（3）藪内清『中国の科学文明』岩波新書、一九七〇年、一三一頁。

（4）馬場優子「スポーツ文化史年表」、『Energy』一九七〇年第七巻第二号、I―V頁。横井清『遊戯と娯楽』、大島建彦他編『日本を知る事典』社会思想社、一九七一年、六八一―七一一頁参照。

（5）竹之下休蔵の発言。座談会「人類とスポーツ」、『Energy』前掲、一二頁。

（6）法務省人口管理局編『出入国管理とその実態』一九七一年、四二頁。

（7）日本地域開発センター編『日本人の価値観』至誠堂、一九六六頁。

（8）この調査の一部は『読売新聞』一九七〇年一月一日付に掲載。

(9) 国際連合『世界統計年鑑』原書房、一九七一年、四七一―八六、八二―五頁より算出。除野信道『経済地理学の一般体系』古今書院、一九七〇年、一〇四―五頁に、国際旅行者数の国際比較の算出の方法についての提案があるが、ここではもっとも簡単に、旅行者数を人口で割って比率を出した。さらに、除野「国際旅行送出の規定条件」、『日本観光学会研究報告』第七号、日本観光学会、一九七二年、三〇―一頁参照。

(10) 国際連合、同右、五九七―六〇一頁。

(11) シチズン時計株式会社『世界のヤングはこう考える』一九七〇年、五一―六頁。

(12) 小林英夫『言語学通論』、楳垣実『日本外来語の研究』青年通信社、一九四三年、一四頁より引用。

(13) 楳垣実、同右、一六頁。

(14) 楳垣実、同右、三五頁。

(15) 市川三喜 "English Influence on Japanese"、『英文学研究』第八巻第二号、楳垣、同右、三四―五頁より引用。

(16) 荒川惣兵衛『外来語辞典』角川書店、一九六七年、六頁。

(17) F・L・K・シュー著、作田啓一・浜口恵俊訳『比較文明社会論』培風館、一九七一年、三四八頁。

(18) 同右、三四〇―八頁。

(19) 竹内好「日本・中国・革命」、『講座中国I――革命と伝統』筑摩書房、一九六七年、六頁。

(20) 同右、七―三八頁参照。

(21) シュー、前掲、三四六頁。

(22) 愛知大学中日大辞典編纂処編『中日大辞典』中日大辞典刊行会、一九七一年。

(23)『外来語辞典』前掲書、二六頁。「欧」というのが英・独・仏・伊語と別にあるが、おそらくこれは、いずれの欧州語にも共通するという意味で、別種と数えられているのだろう。

(24)「重箱よみ」と「湯桶よみ」の区別については、楳垣実、前掲、二四五頁参照。

(25)日本語の外来語の事例は、主として『外来語辞典』(前掲)によった。

(26)シュー、前掲、三四二頁。

第四章　多重構造社会と好奇心

一　緊張処理のパターン

社会とは緊張処理の体系である

すべての人間は、多かれ少かれ好奇心を持っている、と第二章でのべた。とりわけ日本人は好奇心が強い、と外国人から見られ、また日本人自身そう思っている、という例を第一章でいくつかあげた。ということは、日本の社会構造のなかに、好奇心をつねに触発し、培養するような仕掛けがあるということではないだろうか。また、好奇心とは、人類の歴史からみて原初的な情動であり、個体の生長史からみて幼児に近い心性である、と第一、二章で論じた。もしそうだとすれば、日本の社会構造には、高度に近代化された社会の中に、原始的人間関係の構造を保存し、おとなの中に子どもの心性を持続させるような装置があるということになる。

社会の構造と個人の心理との関係に関する説明仮説は、検証することがむずかしい。したがって、一種のトートロジー（同義語反覆）になるか、または、単純なスペキュレーション（臆測）におちいりやすい。わたしがここで展開しようとする仮説もまた、一つのスペキュレーションなのである。

「社会とは、緊張処理の体系である」と定義づけたのは、ウィルバート・E・モアである。緊張とは、べつのことばでおきかえると、矛盾とか、対立といってもよい。いかなる社会にも、矛盾や対立のない社会はない、という意味である。第一に、所得、権力、名声（および愛）が、特定の社会のすべての成員にかたよってしか分配されないことからくる社会階層間の不均等である。第二に、どんな社会でも、その社会の複数の人々が、正しい、善い、こうすべきだ、などといっていることと、実際にかれらが考え、行なっていることとのあいだには落差がある。理想型と現実型とのくいちがいである。第三に、どんな社会にも、その社会の中のさまざまの集団のあいだに、そして個人のあいだに、原則や価値についての相違がある。理想型そのもののあいだの対立である。第四に、どんな社会にも、出生率と死亡率、男女の比率、幼年人口と壮年人口と高年齢人口との比率、などの人口上の不均衡がある。モアは、以上の四つを、どんな社会にでも普遍的に存在する矛盾の主要な原因としてあげている。これがモアの第一前提である。

緊張があれば、その特定の緊張を緩和しようとして、人間はなんらかの行動をおこすものだ、というのが、第二の前提である。ところが、ある特定の緊張Aを処理しようとして行動をおこすと、Aという緊張は緩和されるかもしれないし、あるいはかえって、激化されるかもしれない。たとえ緊張Aが緩和されたとしても新しい緊張Bが生じるかもしれない。そして、緊張Bをやわらげようとして行動すれば、さらに新たな緊張Cがもたらされるかもしれない。という具合に、緊張―緊張処理―新たな緊張の生起という循環の輪はとどまるところがない。これが第三の前提である。(1)

このようにして、モアは、社会を緊張処理の体系とみなすことによって、パーソンズ流の均衡理論からの脱出をこころみたのである。緊張を処理しようとする人間の行動によって、なんらかの変化がもたらされるとすれば、つねに緊張をはらんでいる社会は、つねに変動する社会でもある。緊張（矛盾）があることが社会の正常な状態であり、したがって、社会は常に変動の過程にあることがあたりまえなのだということを、確認したのである。

緊張処理の四つのパターン

わたしは、モアのこのような前提から出発した。そしてさらにこれを社会変動の類型化に応用してみた。

社会の中にある緊張の普遍的要因を、モアにしたがって、すでに四つあげた。もう一つこれにつけ加えたい。それは、ある社会の中にもとからある原則や価値や考えや行動の仕方に対して、外部から新しい原則、価値、考え、行動の仕方が入ってきたときにおこる緊張である。ふつう、土着と外来との出あい、または衝突といわれる状況からおこる緊張である。これら大きく分けて五つの原因からおこる緊張に対して、特定の社会には、歴史的に比較的永続性、一貫性のある緊張処理のパターンをひき出すことができる、とわたしは考える。そして、ある特定の社会についてみると、所得や権力や名声の配分の不均等からおこる社会階層間の摩擦を処理するパターンと、行動や思想における理想型と現実型とのくいちがいを処理するパターンと、外来の価値と土着の価値との対立を処理するパターンとのあいだには、共通性があると考える。

そこで、それらのさまざまの原因から生じる緊張処理の仕方をつぎのように四つのパターン

表7　緊張処理のパターン

記号による過程の説明

- A, B…n ＝異なる価値・原則・イデオロギー等
- ＋ ＝受容
- － ＝拒否
- ± ＝両面価値

共時的	通時的	時点 t_1　　時点 t_2 （A以外の価値・原則・イデオロギーに出あった場合の緊張処理のパターン）
①独占型	独占型	＋A　→　＋A・－Bまたは－A・＋B
②競争型	競争型	＋A　→　±A・±B…±n
③――	統合型	＋A　→　＋A' B' …n'
④コンパートメント型	多重構造型	＋A　→　＋A・＋B…＋n

に分類してみるのだが、これには二つの異なる時間の次元を区別しなければならない。第一は、共時的なパターンであり、第二は通時的パターンである。共時的というのは、集団Aと集団B、またはAという価値とBという価値とが、一定の時期に対立した場合に、どのような処理の仕方をするか、ということに言及する場合である。通時的というのは、二つ以上の時期にまたがり、比較的長い時間にわたって、集団または価値の対立がおこるときに、どのような処置をとるか、ということに論及する場合である。四つの型の分類は、**表7**のようになる。

現実の社会についてみれば、どんな社会でも、多かれ少なかれこれら四つの緊張処理のパターンが、混用されている。純粋に、どれか一つのパターンだけをあてはめることはできない。しかし、それぞれの社会に、比較的強度に、永続的に、一貫してあらわれるパターンを抽出

することはできる。近代化の過程では、それぞれの社会が前近代からうけついできた緊張処理のパターンが、顕著にあらわれると考える。したがって、これら四つの緊張処理のパターンは、社会変動のパターンであり、近代化のパターンの分析にも使うことができる。

ここでは、国際比較には立ちいらないが、大ざっぱな分類だけをのべておくと、アメリカの近代化は競争型、中国は統合型、日本は多重構造型が、その他の型が混在してはいるが、もっとも支配的であり、したがって顕著な特徴だとわたしは考えている。これら四つのパターンのうち、第一から第三までを簡単に説明してから、第四の多重構造型に焦点をあてて、考えてみたい。

二　独占型・競争型・統合型

矛盾律の認知

独占型・競争型・統合型には、共通の原則がある。それは、集団と集団との利害が対立する場合でも、または異なる価値やイデオロギーが対立する場合でも、双方の原則上の違いをつきあわせ、矛盾するものを矛盾するものとしてみなすという前提に立っている点である。その他いかなる論理的あるいはその他の道具をもちいて緊張処理をするにせよ、形式論理における矛盾律の法則を無視しないという点で、これら三つのパターンは一致しているのである。

まず独占型についていえば、集団Aと集団Bとの利害が対立した場合、利害の不一致をまず認めた上で、AまたはBが、他者を圧倒して単独の支配を確立することによって、つまり、対立者を排除もしくは従属させることによって、緊張を処理するやり方である。そして、その権力を掌握した集団のイデオロギーが、他を圧倒して、独占的に支配する。外来文化に対しては、もし外来文化とその社会に従来あった文化とが対立する場合は、どちらかを捨てて、他を受けいれる。決定はつねに、二者択一なのである。そして、一定の時期の、一定の社会についてみれば、集団、人間関係の原理、イデオロギーにおける、単独の支配がのぞましいという規範によってささえられる。

第二の競争型もまた、矛盾律の受容という点では、独占型とおなじ前提に立つのだが、緊張処理の仕方は、むしろそれとは逆の方向に向かう。集団にしろ、イデオロギーにしろ、対立者または対立物を排除することによってではなく、対立をむしろ強調し、激化し、正当化することによって、緊張を処理するやり方である。独占型が単独支配の原理であるのに対して、競争型は、集団や価値やイデオロギーや生活様式などあらゆる面での対立者、および対立物のあいだの競合を奨励する。

すぐれて創造的な統合型

第三の統合型は、競争型からの展開とみなすことができる。敵対しあう集団、対立しあうイデオロギー、異なる人間関係の構造、異質の土着文化と外来文化とのあいだの対立を激化させ、矛盾をより深く自覚することを通して、対立しあう原則または価値の双方を作りかえて、新しい人間関係の構造や、価値やイデオロギーを再構成してゆく過程だということができる。

独占型にしても、競争型にしても、また次に説明する多重構造型にしても、問題はすでにできあがった人間関係の構造や、価値や、イデオロギーのあいだで、どれを捨てて、どれをとるか、またはどれも捨てないですべてを許容するか、の態度決定にある。それにくらべて、統合型の場合は、すでにできあがった集団の組織原理や、価値や、イデオロギーのあいだに対立がある場合には、対立しあう人間集団や原則や価値や行動様式を解体し、その中にある部分や要素を否定し、取捨選択し、再構成し、まったく新しい人間集団や原則や価値や行動様式を創り出すことによって、緊張を処理するというやり方である。統合型は、競争型をその一つの過程とするが、競争型は必ずしも統合型に向かうとは限らない。

この四つのパターンのうち、新しい集団や、価値や、思想の形成をもたらすのは、統合型だけだといってよい。その意味では、統合型は、すぐれて創造的である。しかし、そのために、他の三つのパターンとは、くらべものにならないほどの、長い時間の幅を必要とする。その意味で統合型は、厳密には通時的にしか成り立たない。

三 多重構造型とは何か(2)

第四のコンパートメント型――多重構造型には、前にのべた三つのパターンと基本的にちがう点がある。それは、利害関係の対立する集団に対しても、対立しあう原則、価値、イデオロギーに対しても、対立そのものを認めない点である。

第一の特徴は、切り離しの原則である。集団と集団、個人と個人、イデオロギーとイデオロギーをそれぞれ別個のものとして切り離して取り扱い、直接の接触を最小限にすることによって、正面きった対決を回避する。

第二の特徴は、形式論理における矛盾律の法則をほとんど完全に無視することである。これは、矛盾を気にしない態度と、矛盾を自覚しながら矛盾したタテの両面の異なる機能を使いわける態度との、双方がふくまれる。

第三の特徴は、多重構造型のパターンとしての特徴というよりも、日本の社会に、具体的、歴史的にそれがあらわれた特徴といった方が正しい。人間関係における閉鎖性と、外来の事物に対する開放性の混在である。また、時間的には、外国に対する閉鎖を強制する時期と、開放を志向する時期とが、交互にあらわれていることである。閉鎖性と開放性の多重構造である。

第四に、多重構造型近代化の特徴は、近代社会の中に、原始・古代的な人間関係、情動、考え方、行動の仕方が、ただ保存されているだけでなく、生きて働いていることである。

四　切り離し

浸透しあわない重層

まず切り離しの原則から考えてみよう。

たとえば、徳川時代のとざされた階級社会はそのひな型である。士農工商および被差別部落の身分を世襲的に固定し、通婚を禁じ、居住地域を限定することによって、相互の接触を、すくなくとも理想型としては、極度に制限した。そればかりでなく、それぞれの身分によって、個別的な生活規範と生活スタイルを細目にわたってきめることによって、身分の違うものどうしが、おたがいの生活をくらべあうことを禁じた。このようにすれば、他の身分のものをうらやましがったり、はりあったりすることがすくなくなる。異なる地域や身分の人間集団を、列車の個室（コンパートメント）に閉じこめておくのに似ている。共時的に、コンパートメント型というのは、そのためである。

このように隔離することによって、所得、権力、名声の配分の不均等は、比較的摩擦をすくなくして、温存されやすい。また、異なる生活のスタイルや規範や行動や考えや感じ方などが、多様なままにそれぞれ切り離されて、保存されやすい。

このような緊張処理のパターンが、比較的永続的におこなわれたとき、多重構造型とよぶ。多重構造型というのは、列車の個室をちょうど横倒しにして、上下に重ねあわせた恰好になる。そこでは、歴史のさまざまの時代に特徴的な人間関係や、ものの考え方や、行動の仕方が、あたかも地層の重なりのように堆積され、それぞれの層は相互に浸透しあわない。したがって、古代・中世・近世・近代・超近代等の異なる時代の人間関係が、比較的原型をとどめたかたちで保存されやすい。

組織の中の多重構造

たとえば、大・中小企業のあいだに、賃金のひらきがあるだけでなく、労使関係が、異なる条件で結ばれていることは、よく知られている。それだけでなく、大企業の中でも、本雇いと臨時雇いと請負労務者とが、おなじ職場で働いている場合がある。本雇いは労働組合の組織をもち、給料は会社から直接支払われる。臨時雇いは、多くの場合労働組合をもたないか、またはもっている場合でも組合は別になっている。本雇いよりははるかに身分は不安定だが、それでも会社から直接給料を支払われる。ところが、請負労務者となると、組合はもたず、給料は会社から請負業者へ、そして請負業者から労務者に支払われる。本雇いは、会社との契約が成立していて、労働者が団体交渉権をもっているという意味で、近代的といえるだろう。臨時雇いは、疑似近代的といえる。そして、請負労務者は前近代的労使関係の網の中にいる。しかも、それらの労働者は、おなじ職場で働いていながら、別個の人間関係から成りたつ、別個の集団に属して、互いに切り離されている。別個の扱いをうけているから、組合が賃上げを要求して、本雇いの給料があがっても、臨時雇いや、まして請負労務者の労働条件には関係がない。その逆に、請負労務者や臨時雇いの低賃金が、本雇いの給料を低くおしとどめることはあっても。多重構造というのはこのように、切り離すことによって、異なる時代の、異なる種類の人間関係の構造が保たれ、併存することを可能にするシステムなのである。したがって、近代社会の中に、原始的、古代的、中世的、近代的、超近代的人間関係を、累々と層をなして積み重ねることができる。

ヴェクトルの異なる情動――「甘え」と「いき」

そのような社会構造の中に生きる人間は、個人のパーソナリティ・システムの中に、原始的から超近代的にいたるまでの、情動や、考えや、行動の仕方を、貯蔵しており、それらがべつべつの層をなしていることが考えられる。そのようなパーソナリティの型を、多重構造的自我とわたしは呼んでいる。たとえば、土居健郎は「甘え」を日本人の基本的な情動として明快に分析し、九鬼周造は「いき」を日本人に特有の情動として論じた。わたしは、これらの異なる二つの情動が重なり合わさっていることが、現代の日本人の情動の基本的なパターンだと考える。土居健郎によれば、「甘え」は、子の母に対する感情であって、受身的対象愛であり、相手に対する完全な一方的依存と、相手との合一、溶解作用である。甘えのあまは、天照すのあまに通じるといわれ、原始=古代的感情である。[3] 他方「いき」の情動は、男女間の性愛にもとづく感情であって、限りなく接近したいという強烈な願望と同時に、完全に一体になることはできないという抑制とあきらめとが、はりあって、はげしい緊張感をかもしだす。無限に収斂するけれども決して合一することのない平行線に美しさを求める情動であって、これは、封建社会における、色街(いろまち)の男女関係をモデルにしている(4)。

甘えは緊張解除を美しいとする感情であり、いきは緊張激化を美しいとする感情である点で、また、甘えは個性没理的であり、いきは強烈な個性の自己主張という点でも、ヴェクトルの異なる情動である。発生の歴史的時代もちがい、ヴェクトルもちがう、この二つの情動が、現代の日本の男性にも女性にも、多かれすくなかれ、一対となってひきつがれている。家族内では主として、「甘え」の情動が働き、家族外では、主として「いき」の情動が働いているようである。クラブやバーの女性たちと「いき」にあそび、家では女房に「甘える」、という男性の行動のパターンは、そうした情動の多重構造性の存在証明であろう。また、それをおおらかにゆるしている女性の側にも、これとみあった情動の多重構造性がゆるぎなくあるのだと思う。しかもこの一対の情動が、それぞれ古代と近世とを、近代にもちこんでいるのである。

五　使い分け

「五箇条御誓文」と「太政官布告」

多重構造型の第二の特徴は、形式論理における矛盾律のほとんど完全に近い無視である。しかし、矛盾に気がついていながら、矛盾する原理、政策、イデオロギーなどに、それぞれ異なる役割、機能を賦与して、意識的に使いわける場合と、矛盾に気づかず、使いわけを意図しない場合とは、区別しなければならない。まず、使い分けについて考えてみる。

たとえば、一八六八年三月十四日、明治政府では「五箇条御誓文」を発し、翌十五日、他方では「太政官布告」と称する五種の高札の触書（ふれがき）を出した。この二つの公文書をひきくらべてみると、まったく相反することを公言していることがわかる。誓文では、「広く会議を興し万機公論に決すへし」、「上下心を一にして盛に経綸（けいりん）を行ふへし」、「官武一途庶民に至る迄各其志を遂け人心をして倦（う）まさらしめん事を要す」という。「会議」とは、実質的には列侯会議をさしたにせよ、すくなくとも字面の上では、集会、言論の自由の原則を「庶民に至るまで」大いに奨励したようにきこえる。ところが、高札は、次のとおり、庶民が集会、結社、言論の自由を持つことはおろか、それらの自由への前提条件である移動の自由さえも禁じているのである。「何事ニ由ラス宜シカラサル事ニ大勢申合セ候ヲ徒党ト唱へ、徒党シテ強テ願ヒ事企ルヲ強訴トイヒ或ハ申合セ居町居村ヲ立退キ候ヲ逃散ト申ス堅ク御法度タリ」(第二札)。

誓文は、「旧来の陋習を破り天地の公道に基くへし」、「智識を世界に求め大いに皇基を振起すへし」といい、進取性と西欧文明への門戸開放を宣言した。他方高札は、「人タルモノ五倫ノ道ヲ正シクスヘキ事」(第一札)、「切支丹邪宗門ノ儀ハ堅ク御制禁タリ若不審ナル者有之ハ其筋之役所へ可申出御褒美可被下事」(第三札)とのべて、旧来の五倫五常の身分道徳を強調し、キリスト教禁止をくりかえしているのである。(5)

このように明らかに矛盾する主旨の公文書をわずか一日の差をもって政府が公布することができたのは、なぜであろうか。発表の相手を隔離し、それぞれの文書に異なる機能を果たさせたのである。誓文のほうは、不平等条約の改正を目的として、明治政府がいかに民主的、進歩的であるかを外国政府に示すために使われ、高札はもっぱら国内の秩序と治安を保つために、国民に向けて使われた。国外向けと国内向けとを、截然と切り離し、国民が勝手に外国の情報などを手に入れることがないようにしておけば、両者の矛盾は、矛盾として国民に自覚されることはない。このように、コミュニケイションの相手を隔離することに成功するかぎり、同一主体が、同一の時期に、まったく相反する言動をしても、決して矛盾撞着はバレないですむということになる。

沖縄返還のカラクリ

このような、為政者による内と外とのコミュニケイションの使いわけは、明治初年に限ったことではない。今日もまだその伝統は連綿としてつづいているのである。

一九六九年十一月二十一日の、日米共同声明が最近の事例を提供する。中野好夫が、共同声明および、佐藤首相のプレス・クラブでの演説の、英文と日本文とを丹念に照合したところによれば、そこには明らかな、そして重大なくいちがいがいくつか指摘されている。第一に、英文では、reversion of Okinawa（沖縄復帰）と return of the administrative rights（施政権の返還）とを、厳密に区別して使い、"return"（返還）ということばを使う時は、かならず「施政権の」という限定をつけている。それに対して、日本文は、reversion of Okinawa を「沖縄返還」と訳し、「施政権の返還」とおなじことばを使うことによって、基地の縮小や撤去をもふくめて、沖縄全体が日本に「返還」されるのだという幻想をいだかせる。第二は、日本文では、「大統領は……日米安保条約の事前協議制度に関する米国政府の立場を害することなく、沖縄の返還……を……実施する……」となっている。「立場を害することなく」の英文は、"without prejudice" であって、法律語としては、「権利を侵害せずに」、「既得権を侵すことなく」である。また、英文の"position" は、軍事上の用語であって、「通常戦略的要地として軍が占領拠点として選んでいる土地、場所」のいみである。したがって、英文に忠実に訳せば、「米国政府が戦略的要地として占領している拠点の既得権を侵すことなく」であって、「米国政府の立場を害することなく」などというなまやさしい意味ではないのである。さらに、事前協議について、米軍から「日本国内の施設、区域を戦闘作戦行動の発進基地として使用したい」という申し出があった場合、日本政府は、日本文によれば、「前向きに、かつすみやかに態度を決定する」と首相は演説でのべたそうだ。しかし英文では、"positively and promptly" である。「ポジティヴリー」は、「ネガティヴリー」の反対語であって、ネガティヴな回答とは、「ノー」ということだから、「ポジティヴな回答」とは、当然「イエス」ということである。それを、「前向きに」と訳してしまえば、「ノー」というのが前向きだと解釈したい人には、「ノー」だと思いこませるトリックになる。(6)

明治初年とは異なり、外国の新聞をたとえ国民全部が読まないでも、とりよせて読もうと思えば読める時代になった。そして、中野さんのように、外国語と日本語と両方に堪能な人がいて、読みくらべようと思えば照合することができる。そして、為政者の、内と外との情報の使いわけの矛盾を、国民の前に明確に指し示すこともできるようになった。もちろんそれは勇気のいることだが。それでもまだ、このような故意の使いわけが、あとをたたないのはなぜだろうか。内と外との使いわけの矛盾が指摘されても、そのことであまりムキにならないわたしたち民衆の中にある、悪くいえば矛盾感覚の鈍さ、よくいえば寛容さのためではないか。

太平洋戦争の二重構造

明治以来の日本の外交政策における使い分けのもう一つの面を指摘したい。対米と、対アジアとの、日本の外交政策の多重構造性を、明快に分析したのは、竹内好である。

大東亜戦争はたしかに二重構造をもっており、その二重構造は征韓論にはじまる近代日本の戦争伝統に由来していた。それは何かといえば、一方では東亜における指導権の要求、他方では欧米駆逐による世界制覇の目標であって、この両者は補完関係と同時に相互矛盾の関係にあった。なぜならば、東亜における指導権の理論的根拠は、先進国対後進国のヨーロッパ的原理によるほかないが、アジアの植民地解放運動はこれと原理的に対抗していて、日本の帝国主義だけを特殊例外あつかいしないからである。一方、「アジアの盟主」を欧米に承認させるためにはアジア的原理によらなければならぬが、日本自身が対アジア政策ではアジア的原理を放棄しているために、連帯の基礎は現実になかった。一方ではアジアを主張し、他方では西欧を主張する使いわけの無理は、緊張を絶えずつくり出すために、戦争を無限に拡大して解決を先に延ばすことによってしか糊塗されない。太平洋戦争は当然「永久戦争」になる運命が伝統によって与えられていた。

そして、日中戦争は、現在まだ解決していない。なぜ解決されないかといえば、「太平洋戦争の二重構造が認識されないままに忘れられようとしているからであり、さかのぼっていえば、明治国家の二重構造が認識の対象にされないからである」と、一九五九年に竹内は指摘した。(7)

対内と対外との情報の使いわけにしろ、対欧米と対アジアとの政策の使いわけにしろ、いずれも、明治以来の政治指導者による矛盾律の無視は、意図的であり、国内の情報伝達における秘密主義と、国際的には戦争政策につながるものであったし、今日もその危険は大きい。

六　無限抱擁[8]

天国にゆき、浄土にゆき、故郷にかえる

政治指導者は、多かれすくなかれ、矛盾を自覚しながら、意図して、相手により、情報の与え方、および政策を使いわける。これにくらべて、民衆は、矛盾に気がつかないか、または気にかけないで、つきつめて考えれば、原則的に矛盾するような信念や見解や情動や行動を、同時にたくさんとりこみ、使いこなしていることが多い。いずれも、矛盾律の無視という点では、おなじであるが、効用は区別しなければならない。

矛盾を気にしない民衆の態度は、さまざまのかたちであらわれるのだが、そのいちじるしい例は、宗教におけるシンクレティズム（諸教混淆）である。たとえば、戦犯裁判によって死刑になった元軍人軍属七〇一名の遺言を集めた『世紀の遺書』を読んでみると、かなり多くの人々が、死んだあとに、「天国にゆく」といい、同時に、「極楽浄土にゆく」といい、そしてさらに「魂は故郷の家に還って永久に家族を守る」と書き残していることに気がつく。[9]天国はキリスト教の信仰を意味し、極楽浄土は仏教の信心をさし、故郷の家への帰還は土着的な民間神道の

信念をあらわしている。死後の人間の魂が、そんなに多くのまったく方向の違った場所へ、同時にゆきつけるとも思われないのだが、それは別として、これらの宗教はそれぞれ異なる信条を持っていて、おたがいに相容れないところがある。キリスト教も仏教も普遍宗教であるのに対し、民間神道は個別宗教であり、キリスト教が一神教であるのに対し、仏教、民間神道は多神教であり、キリスト教、仏教が超絶論であるのに対し、民間神道は神と人との親しい交通を信じる。このように、おたがいに原則として矛盾した信仰が、同時に、なんの抵抗もなく、うけいれられ、信じられているのである。

「神寄せ」――キリストさまから乙姫さままで

松田毅一は、その著書『キリシタン――史実と美術』の巻頭に、長崎県平戸沖の生月島で、片岡弥吉が採録した「神寄せ」の誦文を引用している。それは、つぎのようなものである。

「御願いを奉る。天ちゅう御進退なされましたるオーエー御ならゼズ・キリストさま、御母サンタ・マリアさま、フランセスコ・ザベリヨ様、クロスタン宗あらゆる様、中江さまにはサンジワニ様……牛頭天王さま……天のパライゾ様、長崎立山二十六聖人の皆々さま方、長崎出島におきましては天草四郎時貞さまをはじめ三五〇〇名の殉死の方々さま、原城におきましては三万八〇〇〇人の殉死の花観音様……われわれの御先祖さま、宇宙の神々さま、竜宮世界の乙姫さま……に頼み奉る。今日は昭和四十一年十二月の三十一日におきまして今日のありがたきご利益与えのほどを一心に御願い奉りまする。」

ここには、キリスト教、仏教、民間神道などのれっきとした宗教の神々や聖人たちだけがあらわれるのではない。牛頭天王さまとは、「もとはインドの守護神で、わが国へは陰陽家によって除疫神として伝わり、祇園社の祭神でもある」[10]という、それ自体さまざまの国の土着信仰を来歴してきた、いわば多重構造の化身みたいなものである。キリシタンの殉教者は、この古老の信仰によって、観音さまに生まれ代わっている。民話の世界の海の女神もまた、キリストや、聖人や、観音さまと同列の聖性を獲得しているのである。それぞれがなんらかの霊験あらたかな、ちがった働きをもっているかぎりで、よびよせ、とりこまれている。それぞれの効能にしたがって、すべてを使えばよい。教義とか、原則とかが、一致するか、一致しないかなどというめんどくさいことを考えなければならないという規則のほうが、おかしいのである。

矛盾律への無感覚

為政者による矛盾律の無視——使い分けと、民衆のあいだの矛盾律の無視——無限抱擁とは、はっきりしたちがいがある。前者の場合は、欧米を進んだ国であり、上等な文明国として価値づけ、アジアをおくれた国、下等な文明をもつ国として位置づけている。それは、位階主義と、差別主義の原則である。それに対して、後者の論理をおしすすめていけば、キリスト教は進んだ宗教で、牛頭天王はおくれた迷信だなどとは考えていない。キリストも、牛頭天王も、観音さまも、乙姫さまも、それぞれちがった働きをもってはいるが、みんな平等なのである。徹底した平等主義と無差別主義である。それでこそ、あらゆるものに、はつらつとした好奇心を発揮することができる。あらゆるものに、徹底した好奇心を投企することによって、価値と行動の二重基準を打ち破っていくことができるのではないか。

矛盾律への無感覚が、国民のあいだにゆきわたっているかぎり、政治指導者による内と外との情報の使い分けや、欧米への屈服とアジアへの侵略という政策に対して、国民がムキになってその矛盾を追及することは、できにくいであろう。矛盾を矛盾としてきりこむ方法は、無限抱擁的態度からは、出てこないからである。それでは、矛盾を矛盾としてつきつめ、対決をとおして価値転換を迫る統合型をゆきわたらせればよいのか。できれば、統合型がゆきわたることは好ましい。しかし、非常に長い間日本の社会の中で培われてきた緊張処理のパターンを、それをささえる情動の根底から、作り変えるには、時間をかけなければならないだろう。アジアを侵略し、抑圧した日本近代のあやまった方向を、作り直してゆくもう一つの可能性を、わたしは、多重構造社会そのものの中から、さぐりあてたいと思う。

七　壁と抜け穴

好奇心を誘う「穴」

日本の社会には、閉鎖性と開放性とが混在している。人間関係においては、うちわとよそものの区別をやかましくいうのに反し、衣食住から宗教、思想にいたるまで、外来の事物は、けじめなくとりいれる。人間関係における閉鎖性と、外来の事物に対する開放性は、対照的である。人間関係は閉鎖的ではあるが、うちとそととをへだてている壁はそれほど厚くはない。穴をあけてのぞき見できるていどの壁なのである。見てはいけない、こえてはいけないという禁止命令はあるのだが、ぜったいに見られない、こえられない、というほどに禁止は強くはない。ぬけ穴ができるていどの障壁であることによって、かえって障壁が好奇心への誘いになっていたといえる。

江戸時代の旅の発達に例をとって、閉鎖性と開放性の混在が、好奇心の発達をたすけた過程をあとづけてみよう。江戸時代には、すくなくとも法制上は、生まれた土地から他の土地へ移住することは禁止され、旅行もまた公用以外は厳重に制限されていた。ただし、個人的な理由であっても、病気を直すために温泉場に湯治にゆくとか、社寺に参詣するという宗教的な理由などがあれば、例外として許された。ここでもっともおもしろいのは、社寺参詣である。ヨーロッパの非寛容宗教の場合は、自分の信じる宗教にちなんだ教会または聖地にいってかえるだけである。ところが、日本の場合は、寛容宗教だから、寺社参詣といえば、どんな宗派のどんなお寺でも、どんな神さまをお祭りしてある神社でも、おかまいなく歩きまわって自他ともにあやしまない。法華経を納経して歩く六十六部は、「一国一ヶ寺だけでなく、一国六十六ヶ寺を全国六十六ヶ国、すなわち総計四千三百五十六ヶ寺に法華経を奉納してあるくものすらあった」[11]ということだ。江戸中期以後、各藩の財政が苦しくなると、藩ではとくに農民の旅行制限をやかましくし、一村につき年間の旅行人数や、旅行日数などを制限した。なかには、米沢藩のように、特に財政の逼迫したところでは、藩外参詣、藩外旅行をすべて禁止したところもあった。

好奇心が「タテ社会」をゆさぶる

にもかかわらず、江戸中期から末期にかけて、庶民の旅は年々活発になったのである。とくに、伊勢皇太神宮は、「タテ社会」[12]の頂点への崇敬をあらわすという大義名分があったから、たとえ藩政府としても、大目にみざるをえなかった。はじめ、伊勢講は、家長を中心とした、合法的な旅であったが、のちに、抜参りといって、他国を旅行するために必要であった往来手形（パスポート）を持たない、女子供や奉公人たちが、家族や主人たちに断りもなく、路銀さえもたず、途次施行（せぎょう）の接待をうけつつ、伊勢参宮をするという名目で旅にでるようになる。

さらに、一六五〇年から始まったおかげ参りは、一七〇五年、一七七一年、一八三〇年、とつづいた。一八三〇年のおかげ参りには、三月末日から六月二十日までのあいだに、全国から、総数四二七万六五〇〇人が参加したといわれる。[13]その直後、「おかげおどり」が流行し、「おかげおどり」にことよせて、農民が年貢の減免を要求してこれをかちとるなど、百姓一揆とのむすびつきに、藤谷俊雄は注目している。そして、おかげ参りの発展である一八六七年の「ええじゃないかおどり」を、同氏は、「封建制下の人民階級の解放運動としての側面をもっていたと同時に、民族形成運動としての側面をも、もっていた」と評価する。[14]

ここでわたしがおもしろいと思うのは、禁令を作っておいて、その自ら作った法律に抜け穴を作る藩為政者の態度を利用して、法律を空文化してゆく民衆のエネルギーである。封建領主は抜参りという明瞭な脱法行為に対して、表面的には禁止措置をとらざるを得ないのであるが、その抜き難い風潮の前には、事実上放任せざるを得なかったのである。

毛利藩は、寛文七年（一六六七）、天和三年（一六八三）以来十一回も抜参りの禁令を繰り返している。……これは、民衆の抜参りの根強い風潮を物語っているとともに、禁令の空文化を示すものである。[15]

民衆の移動の自由を禁止した封建社会では、禁を破って多くの人間が旅におもむく風潮それ自体が、秩序の崩壊を意味する。さまざまの地方から人々が集まり、そのゆく道々で、見しらぬ人々から接待をうけたり、カンパをしてもらったりしながら、デモ行進をしていったということは、厳重なタテ割り社会の中で、ヨコの連帯を促進したといえる。しかも、民衆は、権力に反対するという明瞭な目的意識をもたず、むしろ、一時的な解放感と、変わった風物を見たりきいたりしたいという、強烈な好奇心によって、旅に出たのである。その結果が、法律を空洞化させ、「タテ社会」の秩序を根元でゆさぶることになったといえる。

八　開国と鎖国

海賊のエネルギー

外国に対して、開国と鎖国とを交互にくりかえしてきた歴史もまた、外国への好奇心を、開国に際して、爆発的に解放する作用を果たしてきた。開国と鎖国の交替は、すでに古代から始まっていたが、もっとも激しい交替は、十七世紀三〇年代の、鎖国の以前と以後とにおこった。中国との交通は、六三〇年から八九四年までの間に、遣唐使船は一八隻を数えたが、八九五年から一三四二年までの四五〇年間に、公許された渡海船は、わずか一隻に減少した。しかし、ふたたび一四〇一年に中国との勘合貿易が開始され、一五四七年に打切りになるまで、公許の遣明(けんみん)船の出航は八八隻にのぼった。

他方一五四三年にはポルトガル船が種子島に漂着したのを皮きりに、一六三九年の鎖国までに、オランダ、イギリス、スペイン等の多くのヨーロッパ人が来航した。中国側の鎖国政策のために打ちきられた中国貿易へのエネルギーは、十六世紀の半ばから、台湾、マカオ、アンナン、トンキン、コウチ、カンボジア、シャム等に向かって開発され、これら各地に、日本町が作られた。一五四八年から一六三五年までの間に、三五〇から六〇隻の朱印船が、南方各地との貿易に活躍した[16]。

一六一〇年には、イギリス人三浦按針（ウィリアム・アダムズ）の指導で作られた日本船が、漂着したフィリピン総督をメキシコに送りとどけている。太平洋を横断した最初の日本船である。三年後には伊達政宗が、通商をもとめて、メキシコに支倉常長を送った。

山田長政が、「飛乗り」と称された密航によってシャムに渡り、日本人町の頭に推され、さらに日本人兵をひきいてシャム国王に重用され、王位継承のお家騒動にまきこまれて戦闘中に毒殺されたのが、一六三〇年である。このほかに、有名無名のたくさんの日本人が、貿易商として、移民として、あるいは外国人の妻子として、世界各地に渡り住んで活躍した。東南アジアだけでも、のべ一〇万人以上に達するといわれる。そのうち、鎖国令のために、日本に帰りたくとも帰れなくなったものも多い[17]。

朱印船が日本から積み出した銀は、ポルトガル船、オランダ船、中国船によって搬出されたものを加えて、その当時の銀の全世界生産額の三割から四割に達したという。日本が鎖国前に占めていた世界貿易上の地位の高さをおしはかることができる[18]。

このような公貿易の隆盛は、幕府のお墨つきをもたない「海賊貿易」のはなばなしい活躍によってささえられたのだというのが、服部之総の説である。朱印船貿易と海賊貿易との多重構造である。

李氏朝鮮とともに、同時にまた明では成祖が足利義満とのあいだで勘合条約をむすんだ時から、つまり十五世紀の夜明けとともに倭寇の「中絶期」（登丸・茂木共著『倭寇研究』）がはじまり、十六世紀四十年代までつづくのであるが、中絶したのは暴力による侵寇であって、平和な公私貿易は従前になく盛大をきわめた。……

十五世紀の全部と十六世紀の前半におよぶ一世紀半の、北は朝鮮から南はマレー・ジャワ・モルッカにおよぶ平和貿易時代は、日本の海賊の暴力によって開拓され、そのゆるぎなき制海権とおそるべき貿易利得のおかげで和平を保持したのである。……

輸出品としての日本刀・硫黄・銅・扇子・屏風・鎧・槍・漆器類。輸入品として生糸・綿糸・織物・錬鉄・鉄器類・書画・骨董・籐材。しかも、強力をバックとして貨幣で換算されたばあいのバランス・シートはつねにおそるべき出超であり、永楽銭の大量こそがこの間の公私貿易の目的物であったといえる。公貿易のバックとなった強力は「海賊」の私貿易船隊であり、薩摩・大隅・日向・肥後・肥前・筑後・長門・石見・伊予・播磨・摂津・紀伊の諸国とその島嶼とを根拠地とした。[19]

噴出する鎖国への反動

一六三三年から三九年にかけての五段階の鎖国令によって、日本人の海外往来は厳禁され、キリシタンは禁宗になり、中国とオランダをのぞく外国貿易は禁じられ、中国とオランダとの貿易は平戸・長崎に制限された。明治初期に発動された西欧文明への爆発的好奇心は、二二〇年間の鎖国からの急激な解放によるエネルギーの再噴出である。[20]

一九三〇年代から四〇年の半ばにかけての十五年戦争は、第二の鎖国であり、敗戦後のアメリカ、その他の西欧諸国への好奇心の再度の発動をもたらした。現在中国に向けられつつある好奇心は、十五年戦争以来の対中国鎖国への反動とみなすことができる。

『朝日新聞』の世論調査によると、一九七一年五月には、「一番仲よくしたい国」として、アメリカをあげたものが三九パーセント、中国をあげたものが二一パーセントであったが、同年十二月におこなった調査の結果では、順位が逆転している。中国が三三パーセントに上がり、アメリカが二八パーセントに落ちた。また、「あなたはアメリカに関心を持っていますか」とという問いに対して、「関心をもつ」と答えたものが四三パーセント、「中国に関心をもちますか」という問いに対して、「関心をもつ」と答えたものは、四四パーセントで、ほんのわずかだが、中国のほうが関心度は高い。これは一九七一年五月の調査であって、十二月には、関心度についての質問はない[21]。

もともと関心のある、特定の外国に対して、政府が閉鎖政策をとると、かえって、潜在的にその国の事物への国民の関心を強化し、その特定国に対する鎖国政策がゆるめられるか、または開放政策がとられた時に、急激に好奇心が高まる傾向がある。

多重構造社会は、一方では人間関係を閉鎖させ、孤立させ、隔離させるが、常に幾分のぬけ道を設けることによって、かえって自分の居住地以外の地域や身分集団や職業集団について、好奇心をもえたたせることになりやすい。また、歴史的にみて、外国との関係が、極度に開放的である時期と、極度に閉鎖的である時期とが、交互にあらわれることによって、好奇心が保存され、強化されたと考えられる。

九　多重構造社会とシャマニズム

多元的なシャマニズム

日本文化の根底には、現在もなお、シャマニズムが潜んでいる、という仮説を、泉靖一氏からはじめてうかがったのは、一九六八年であった（NHKテレビ「日本人は変わったか」の座談会。一九六八年十月二十日放映）。その後上智大学の総合講座「日本社会史」に一九六九年と、一九七〇年とに、一回ずつ、このテーマについて講義をしていただいた[22]。わたしが、緊張処理の四つのパターンを設定し、多重構造型を日本に永続的なパターンと考えたのは、それより以前の一九六四年の秋ごろからであった[23]。緊張処理のパターンとしての多重構造という考えは、すでにのべたように、モアの緊張処理体系という概念の応用であって、シャマニズムの概念規定とは、まったく何の関係もない。ところが、泉氏のお話をうかがっているうちに、多重構造型が、シャマニズムの思考、行動のパターンに、非常に近いことに気がついた。多重構造社会では、原始＝古代の人間関係の構造、および心性が、近代社会の中にもちこまれ、生きて働いていることが、その特徴であることを強調した。しかし、多重構造型そのものが、原始宗教であるシャマニズムの構造と、形態的に同一であることに、わたしが気づいたのは、泉靖一氏のおかげである。

泉靖一は、シャマニズムをつぎのように性格づける。

シャーマニズムの世界の神聖者は、天地万物に精霊の存在を信ずるアニミズム的なものであって、そこには原則として、最高神や唯一神の観念も、善悪・正邪・神と悪魔のような二元論もみとめられない。

神聖者なるものに対するこのような意識構造は、閉鎖的排他的にはなりえない。そして、万物に神聖者をみとめている以上、「他の世界の神々」または「新しい神々」などはありえないから、いかなる神々でも、またイデオロギーでも、拒否することはできないからである。したがって、シャーマニズムの神統には、地域によって、さまざまの他の宗教、たとえば仏教、キリスト教、道教、イスラーム教などの神格がとりいれられ、ひどく雑然として、キリスト教神学からすれば神聖観念の分析が不可能になってくる。

このような神々と民衆とを媒介するのがシャーマンであって、歌ったり、踊ったり、または煙を嗅（か）いで念じたりしながら、恍惚境にはいり、神懸（がか）りになる。そして神託を述べたり、占ったり、または清祓の祭をおこなう。必要な行事が終わると、シャーマンに乗りうつっていた霊は天空にとび去り、シャーマンは平常の俗人にもどる。(24)

この説明によれば、第一に、シャマニズムは、すべての現象、事物にはそれぞれ固有の霊があると考えている。これは多重構造社会の切り離しの原理に対応する。すべてのもの、人の集合を、それぞれ別個の機能をもつものとして、切り離して取り扱うのである。第二に、シャマニズムはあれかこれかの二者択一の二元論的思考ではない。矛盾律をまったく気にしない。無限抱擁的である。これが多重構造の矛盾律の完全な無視と一致する。第三に、シャマニズムは、事物や思想に対してはまったく開放的であるが、人間関係は閉鎖的である。秘儀の性格を帯びるからである。シャマンと、シャマンを信じる依頼者との、とざされた世界でおこなわれるかくされた儀式だからである。閉鎖性と開放性の混在という意味でも、シャマニズムと多重構造社会は相似である。

オヤの役割

第四に、シャマニズムでは、媒人（なこうど）の役割が最も重要である。あらゆるものの霊を、依頼者のために支配し、取りつぐ働きをするのが、シャマンだからである。そして、そのシャマンは、ふつうの生活の中では俗人である。その俗人が、修業と召命とイニシエーション（加入礼）をへて、「人間変革のプロセス」[25]をへて、シャマンになるのである。森羅万象はことごとく霊をもち、その霊は、それぞれの別個のものであるとすれば、シャマンたるものは、あらゆる種類の霊をとっておさえるだけの超能力をそなえなければならなくなる。したがって、あらゆる種類の霊の習性を知るべく、巨大な好奇心をもたなければならない。このようにして、シャマン――媒人――と旺盛な好奇心とはむすびつく。

多重構造社会の場合は、どうだろうか。地域集団、同族集団、年齢集団、性別集団、身分集団、職業集団、宗教・娯楽集団等々、あらゆる生活の面での仲間が、幾重にも切り離されていて、うちわとよそものとが、はっきり区別されているのだから、他の集団との関係をつけなければならない場合には、必ず、なこうど＝取次人が必要である。そのようななかだちは、柳田国男によれば、さまざまのかたちでオヤとよばれるものの役割である。

通過儀礼の際に必要とする儀式の媒人をもふくめて、人間が一生のうちに必要とするオヤを、一九三七年ごろに日本の各地で知られている限り、列挙している。全部で三一種あるが、その中から、とくに取りつぎの役割のあきらかなものをひろうと、つぎのようである。フスツギオヤ（生まれたての赤ん坊のへその緒をきって、初生児をこの世に取りつぐ人）。トリアゲオヤ（前におなじ）。ナオヤ（名づけ親。柳田は、「信州遠山地方などは、古い大事な親族の血縁が薄くなろうとする時、特に名親や仲人親に依頼して、結合を新たにしようとする風がある」ことを指摘している。オヤが、集団の仲を結びあわせる役目を果たすだけでなく、オヤにたのむことそれ自体が、オヤの属する集団と、依頼者の属する集団とを、結びつける役割をもつのである）。オヤカタドリ（男女が成年に達したときに、カリオヤになってもらう人。奉公にでる場合でも、結婚をする場合でも、このカリオヤがその人の一生の大事を取りもつことになる）。ナコウドオヤ（結婚の世話をする人）。ヤドオヤ（若者宿や娘宿のオヤで、結婚の世話、その他困難な問題があった時に仲介の労をとってもらう人）。ヨリオヤ（就職の斡旋や就職以前の生計の面倒をみてもらう人）。ワラヂオヤ（よその部落から移住してきたものが、ある特定の部落の成員にしてもらうための紹介者）。ショクオヤ（「土方とか坑夫とか露店商などの特別の組織」の世話をするオヤカタ）。

その他、オビオヤ、マワシオヤ、エボシオヤ、カネツケオヤ、フデオヤ、ヨウジオヤ、カネオヤ、カミオヤ等、それぞれ男女の成人、結婚等の通過儀礼をとりおこなう人物だが、これらはすべて、一つの年齢集団から他の年齢集団への移行と、それらの各集団に付随した特定の役割の授受をとりもつなこうどとみなすことができる。[26]

こうしたオヤとよばれる人たちは、男性の場合もあり、女性の場合もあるが、いずれにしても、名望家の出であるか、なにかの特殊技術をもっているか、ものしりで口ききである、というように、どこか人並みすぐれた能力と資質が必要とされる。

日本の文化は「なこうど文化」

心理学者のM・ベアリー神父は、これは会話の中であったが、日本文化は「なこうど文化」だと論じた。集団と集団とが隔離されているから、取りつぎが必要なのだという説明であった。また、政治学者のヴィクター・コシュマンは、日本人は、対立・紛争がおきたときに、訴訟によるよりも調停による解決を好む傾向を指摘した。これは、対立は本来あってはならないものだから、とことんまで争点をあきらかにして法廷で争うよりも、調停によって、本来対立はなかったかのように振舞うことが、よいとされているためだと論じた[27]。

いずれにしても、多重構造社会では、人生の大事にさいして、「オヤ」「なこうど」「調停者」の果たす役割が大きいのである。対立当事者どうしの、直接の衝突を回避し、対立があっても、あたかもないかのごとく振舞うために必要な儀式をとりおこなうのである。

そうしてみると、多重構造社会におけるなこうどは、シャマンだということができる。そして、修業を積んでシャマンになるように、なこうどもまた、ひらの人々よりも、余計にものをしり、顔を広くし、日頃の信用をえておかなければならない。

以上指摘した四つの点で、多重構造社会は、シャマニズムの構造と、形態的同一性がある。泉靖一が韓国できいたという話がある。アメリカのプロテスタントの宣教師たちと、韓国のシャマン組合の幹部との座談会が、ソウル市で開かれた時に、朝鮮のシャマンは、つぎのように結んだという。

「わかりました。キリスト教は素晴しい教えのようですね。私たちも、早速、山神とともに、キリストを祭り、ときどき私たちの身体におりてきてもらい、みんなに直接よい話をしてもらいましょう。そうしたら、いまよりも病人がよくなおり、人間に禍をもたらす悪霊を追いはらうことができるようになるでしょう。いいことを教えてくださって、ありがとうございました。」

これにたいして、泉は、「すべての神々は、原則として同格であって、それらの神々は、役割にしたがって行動し、人々に幸福をあたえればよいというのが、徹底したシャーマニズムの思考様式である」という。そして、シャマニズムの現代的効用を、つぎのように論じている。

それ［シャーマニズム］は、東アジアの文化を考えるための、大きな手がかりの一つであるとともに、現在の世界を支配している二元論的な思考にたいする、多元論的なイデオロギーの源でもある。古くより、二元論的な論理のワナから逃れようとしてきたさまざまの試みは、もういちどシャーマニズムにまでたちかえって、出なおすべきだと、私は考えている。[28]

こうした見方からすると、近代社会に、原始心性を保持しつづけていることは、おくれではなくて、むしろめずらしい宝物である。シャマニズムのもつ、底ぬけの寛容さと、あらゆる異質の事物に対する好奇心を賦活することによって、日本の民衆は、他の国々の民衆にむかって、異文化の取り次ぎと、なこうどの役割を果たすことができるかもしれない。それは明治以来の日本の為政者が選んだ使い分けの論理と戦争政策とは、ちがった可能性である。

一〇　多重構造社会と天皇制

さいごに、天皇制とシャマニズムについて、ひとことつけ加えておく。古代天皇はシャマンであった。シャマンとしての天皇の役割を、もっともよくあらわすものが即位の時におこなわれる大嘗祭、毎年秋におこなわれる新嘗祭であることを重視したのは、新渡戸稲造[29]および橘孝三郎[30]である。天皇が自分で給仕して初穂を食べ、神座でしとねにくるまって寝る。密室の中でたった一人の儀式をおこなうなかで、皇祖皇宗の霊が天皇の中に降ってきて、天皇に五穀豊穣の超自然的力量と知恵をあたえる。祖霊の祝福を民衆にとりもち、民衆の暮らしを豊かにするのがシャマンとしての天皇の役割であった。

大日本帝国憲法と、教育勅語と、軍人勅諭にあらわされた近代天皇制の機構とイデオロギーは、シャマニズムの基底のうえに、同族的家族主義、儒教的家父長制家族主義、儒教的身分道徳、それ自体が神道・儒教・仏教などの折衷である江戸時代の「通俗道徳」および武士道精神、プロシア型軍国主義、西欧流立憲主義、十九世紀ヨーロッパ流国家有機体説等、土着および外来の、そして古代から近代に至るさまざまの人間関係の組織原理と、それに付随した情動と、イデオロギーとの、みごとな多重構造である。[31]

明治維新は、シャマンとしての天皇の役割を復活させたが、その後しだいに、シャマンとしての天皇は、形骸化された。

わたしは、シャマンとしての天皇の復活を提唱しない。新渡戸稲造や橘孝三郎の分析を高く評価するが、解決の方向には賛成できない。むしろ、わたしは、わたしの理解するかぎりでの柳田国男の見方に活路をもとめたい。古代神道そのものを、国つ神と天つ神の、被征服集団と征服集団との多重構造とみなし、神道そのものの中に、権力支配のイデオロギーと、それへの抵抗のイデオロギーとの二重性を分析した、柳田の立場である。いいかえれば柳田は、征服者――支配者――天皇のがわのシャマニズムと、被征服者――被支配者のがわのシャマニズムとを、区別したのである。「山人」のシャマニズムは、権力のがわについて出世の梯子をのぼることを拒否し、断念した人々の、抵抗の哲学だと、わたしは考える。[32] 天皇制シャマニズムに対して、公然と抵抗するか、または、それとはまったく無関係に、隠微な集団として生きつづけてきた、大小さまざまの集団は、現在でも、日本の中にある。そのいくつかのものは、「新興宗教」という名でよばれたりしている。わたしは、柳田が、愛惜をもって描いた「山人たち」のシャマニズムが、権力の道具として使われているシャマニズムを、無害化してゆく可能性をもとめたいのである。

注

（1）Wilbert E. Moore, *Social Change*, Prentice-Hall, 1963, pp. 10-1.（邦訳、至誠堂）
（2）日本文化の「重層性と対決批判の精神の薄弱さ」を最初に指摘したのは、わたしの知るかぎりでは、中村元『東洋人の思惟方法』みすず書房、一九四九年、第二部「日本人・チベット人の思惟方法」である。三六八―七二頁。
（3）土居健郎『「甘え」の構造』弘文堂、一九七一年。
（4）九鬼周造『「いき」の構造』岩波書店、一九三〇年。
（5）大久保利謙他共編『史料による日本の歩み』吉川弘文館、一九五九年、三〇―四頁参照。
（6）中野好夫「日米共同声明に関する内外解釈の重大な食いちがいについて」（パンフレット）沖縄資料センター、二一―一五頁。
（7）竹内好「近代の超克」、『日本とアジア』筑摩書房、一九六六年、一七二―三、一八八頁。
（8）丸山眞男は、『日本の思想』（岩波新書、一九六一年）の中で、外来思想の受容における「無限抱擁」性を指摘している。一四―六頁。
（9）鶴見和子「極東国際軍事裁判――旧日本軍人の非転向と転向」、『思想』一九六八年八月号、二五―八頁（『曼荼羅』第Ⅲ巻所収「死者の声――旧日本軍人の非転向と転向」）。
（10）松田毅一『キリシタン史実と美術』淡交社、一九六九年、三九頁。

（11）新城常三『庶民と旅の歴史』日本放送出版協会、一九七一年、九六頁。

（12）「タテ社会」ということばは、中根千枝『タテ社会の人間関係』講談社現代新書、一九六七年、から借用している。

（13）新城、前掲、一九九頁。

（14）藤谷俊雄『「おかげまいり」と「ええじゃないか」』岩波新書、一九六八年、一〇一―三、一七三頁。

（15）新城、前掲、一七四―五頁。

（16）奥村正二『火縄銃から黒船まで』岩波新書、一九七〇年、七八―八一頁。

（17）松田毅一『江戸南蛮東京』読売新聞社、一九七一年、二六三―四頁。岩生成一『鎖国』中央公論社、一九六六年、二三六―七、二四二―六八頁。

（18）岩生、同右、二一〇―三頁。

（19）服部之総「初期絶対主義と本格的絶対主義」、『服部之総著作集』第四巻、理論社、一九六九年、一五七―九頁。

（20）加藤秀俊は、鎖国と開国の交替が日本人のエネルギーにおよぼした効果を、ガスの凝縮と拡散にたとえている。加藤秀俊『比較文化への視角』中央公論社、一九六八年、六四―七〇頁。

（21）『朝日新聞』一九七一年六月三日、一九七二年一月三日。

（22）泉靖一「日本文化の根底に潜むシャーマニズム」（遺稿）、『総合講座日本の社会文化史』第三巻（講談社、一九七三年）に収録。

（23）Kazuko Tsurumi, *Social Change and the Individual: Japan Before and After Defeat in World War II*, Princeton University Press, 1970. 参照。

(24) 泉靖一『文化のなかの人間』文藝春秋、一九七〇年、一一六頁。
(25) 堀一郎『日本のシャーマニズム』講談社現代新書、一九七一年、四頁。
(26) 柳田国男「親方子方」、『定本・柳田國男集』第一五巻、筑摩書房、一九六三年、三七七—八八頁。
(27) Victor Koshman, "The Japanese Approach to Conflict Situation."(未発表論文)
「なこうど」、「親分」と紛争解決との関係について、最初に、そして最も詳細に論じたのは、川島武宜『結婚』(岩波新書、一九五四年)、『日本人の法意識』(同上、一九六七年)、および「現代日本における紛争解決」(A・フォン・メーレン編、日米法学会訳『日本の法』東京大学出版会、一九六五年、五九—一〇〇頁)である。
(28) 泉靖一、前掲、一二七頁、一二〇頁。
(29) 新渡戸稲造『内観外望』、鶴見俊輔「日本の折衷主義」、『不定形の思想』一九六八年、文藝春秋、三三五—六頁による。
(30) 橘孝三郎「神武天皇論」、綱沢満昭「農本主義と人間の探究(下)」、『現代の眼』一九七二年三月号、二六〇—一頁による。
(31) 多重構造としての明治天皇制の分析は、Tsurumi, 前掲書、第二、三章参照。
(32) 柳田国男『山の人生』「山人考」「山人外伝資料」『遠野物語』、『定本・柳田國男集』第四巻、筑摩書房、一九六八年。

第五章　のぞき文化

一　パンドラとアマテラス

のぞきを誘う好奇心

好奇心の普遍的な発現形態の一つは、のぞきである。ギリシャ神話の中の「パンドラの箱」にそれをみることができる。パンドラとは「あらゆる才能に恵まれた」という意味なのだそうだが、[1]好奇心もまたその才能の中に含まれていた。ゼウスの神から、「開くなかれ」と固くいましめられて与えられた小瓶だか小箱だかのふたをあけて、のぞこうとしたために、この世のあらゆる悪いものがその瓶だか箱だかの中からとび出した。かくて人類の黄金時代は終わって、それから人間はひたいに汗して労働し、悪戦苦闘の生涯に入った、というお話である。好奇心が一つの「才能」として数えられていること、「開くな」という禁忌が、好奇心によって破られたこと、そしてその好奇心が、のぞきというかたちで発現したことを示しているこのお話は、好奇心とのぞきとの関係を普遍化している。好奇心は規範（禁忌）と、規範破りの緊張関係としてとらえることができるということを示している。

このパンドラの話を、『古事記』の中のいくつかの話と比較してみると、共通点と相違点があきらかになる。「開くな」、「見るな」という禁忌のきびしさと、見たい、のぞきたいという願望のはげしさとの葛藤をあらわしている点は共通している。ところが、ギリシャ神話の場合は、「開くな」、「見るな」の禁忌は、男神であるゼウスによって与えられ、のぞくという規範破りの役割は、女性であるパンドラにふりあてられている。ギリシャ神話は、男性支配の背景を示す。そして、好奇心は、女性特有の悪徳として描かれている。これに対して、『古事記』では、女神が作った禁忌を、男神が破ることによって、人間関係が一大転換をとげるのである。

記紀共に載せる説話に黄泉国（よみのくに）に在（いま）すイザナミ女神がイザナギ男神に「吾を見るな」と命

じ給ふた処、男神が此の禁令を破ってイザナミ女神を見給ふたので、女神は非常に立腹し、黄泉醜女を指揮し男神を改め給ふと云ふことがある。此の説話は疑もなく、女神の命じた死のタブーを男神が犯した故、女神が之を改めると云ふことに相違ないから、是は女性原始規範を語る伝説と称し得る。……吾々は此の説話に於て、女性は法の維持者執行者であり、男性は其の違反者であることを認め得る(2)。

女神が規範を作り、男神がこれを破る話は、ほかにもある。

　天照大御神、忌服屋に坐して、神御衣織らしめたまひし時、其の服屋の頂を穿ち、天の斑駒を逆剝ぎに剝ぎて堕し入るる時に、天の服織女驚きて、梭に陰上を衝きて死にき。故是に天照大御神見畏みて、天の岩屋戸を開きて刺許母理坐しき(3)。

タブー破りと社会変革

いずれの場合も、「のぞくな」と命じるのは女神であり、タブー破りは男神である。天照大神は、天の岩戸にかくれ、「高天の原皆暗く、……万の妖悉に発りき」という状態になった。

ところが、天宇受売命（あめのうずめのみこと）が、神がかって、胸乳（むなち）をあらわにして踊り出すと、八百万（やおよろず）の神は大笑いして、高天の原をとよもした。これはおかしいと思って、天照大神は天の石（いわ）屋戸を細めにあけて、外をのぞこうとすると、手力男（たぢからお）の命が石屋戸をぐっとおしあけ、天照大神の手をとって外にひき出す。これにより高天の原はふたたび明るくなった、というわけである。

ギリシャ神話では、男の規範を破るのは女の好奇心であり、女の好奇心が、この世に戦いと禍いをもたらしたのである。これに対して、日本神話では、女の規範を破るのは、男の好奇心であって、男の好奇心がこの世に闇と禍いをもたらす。ところが、女神である天照大神の好奇心は、かえってこの世に光と幸いをもたらしているのである。このような違いは、おそらく父家長制と母家長制との社会的背景のちがいをあらわしているのであろう。

しかし、いずれにしても、規範に対して、規範を破る動機は好奇心という情動であり、規範が破られたときに、よい方向にしろ悪い方向にしろ、社会関係の改変がおこるということを、これらの神話は暗示する。

二　のぞき見型＝日本の異類婚姻譚

のぞき見は破綻を意味する

羽衣伝説とそれに類似した異類婚姻譚について、柳田国男はつぎのようにのべている。

　男がこれ〔飛衣〕を大切に匿して置いたのを、二人の中に出来たところの小児が知っていて、それを子守唄に歌ったので母が心づき、竊かに取出してこれを着て天に還ったという。……これと比照すべき多くの異類相婚譚、たとえば鶴女房や魚女房の類には、男の貧窮にして孝行正直なるを愛で、もしくは命を助けられた恩に報いるために、美女となって来り嫁した話がある。そうしてたった一つの約束又は禁止、即ち機殿や産屋を覗き視るなという戒めを破り、或は本の姿を偶然看破られた為に、天縁が切れて泣きつつ還って行くという方が、飛衣奪還よりも古かったことが考えられる。(4)

ここで柳田は、のぞき見と、看破りとを、並列しているのだが、わたしは、これは異なる二つのタイプとして区別したい。のぞき見のほうは、「見るな」という禁忌を破ったために、結婚が破綻するのである。それに対して、看破りのほうは、禁忌を破ったから破綻するのではなく、正体を見とどけたというところに破綻の真因がある。タブーとタブー破りを強調するのと、正体を見たら異類であったという事実の発見を強調することとの違いである。

日本の異類婚姻譚には、はじめから異類とわかっていて人間の娘が嫁入りする場合がある。その結末は、二通りある。一つは、「タミナ（田蜷）の聟（むこ）」とか「ツブ（田螺）の長者」のように、末はタニシが人間の美しい若者になって、幸福にくらす場合である。[5] もう一つは、「猿の聟入」のように、女が相手の猿をだまして、臼と杵と米とを背負わせて桜の木にのぼらせ、もっと高くのぼれとけしかける。桜の木は折れる。猿は下の川に落ちる。そして猿は辞世の歌をよみながら溺れ死んでしまう、という残酷物語である。[6] いずれにしても、はじめから異類とわかっているのだから、のぞき見の場面は必要がない。

相手が異類としらないで恋におちいったり、結婚したりしたとき、日本の民話では、のぞき見がその重要な別離のきっかけとなっている。天人女房（羽衣）、蛤（はまぐり）女房、魚女房、蛇女房、鶴女房、などのいわゆる女房譚は、その典型である。異類だとはじめからわかっていて、婚姻がとり結ばれるのは、お聟さんが異類である場合が多い。それにくらべて、のぞき見によって相手が異類であることをしるのは、お嫁さんが異類であることが多い。そして、女性が男性に対して「のぞくな」といいつけ、男性が女性の作ったタブーを破ることによって、破綻がくる。

魚女房と鶴女房

鹿児島県大島郡で採話された「魚女房」の、のぞきの場はつぎのようである。

妻はまい日、表座敷のまんなかで、障子を立てきって、水を浴びることになっていました。かねて夫に、自分が水を浴びるところは、決して見てはならないと約束してありました。ところがある日、夫は妻がいつも水を浴びるとき見てはならぬというが、今日はそっと覗いて見ようと思って、指の先に唾(つば)をつけて障子に穴をあけのぞいて見ました。ところが、妻は盥(たらい)に水をいっぱい入れて、その中に入って大きな魚の姿になって、両手は胸鰭(むなびれ)になって、はたはたと水を浴びていました。

……それから、妻は「あなたは見てはならないと、あれほどいってあるのに見てしまったから、もう二人は一代のくらしはできません。下の子供はわたしがつれて行きますから、上の子二人はあなたが育てて下さい。子供を育てるだけのことは、わたしがしてあげます」

といって、夫に「ちーちー小函」をやりました。「この小函は決してあけてはなりません。もしあける時は、海ばたで二つの足を水の中に入れてから、あけなければなりません」と教えました。

……この妻はたいそう美しい女だったそうで、女が家を出てしまうともう夫は淋しくてたまらずに、いわれたことも忘れて家の中で「ちーちー小函」をあけました。ところが、小函のなかから白い煙がぽーっと出て、家はたちまち昔の貧しかったころのままに変りました。(7)

ここでは、「見るな」の禁止が二度くりかえされており、男は再度にわたってタブーを破ってのぞき見することによって、妻に去られるだけでなく、妻がのこしていった子どもまで、最後にはゆくえしらずになってしまうのである。タブーとタブー破りの場面を繰り返すことによって、のぞきの効果を最大限にあげている例である。

『佐渡島昔話集』の中にある鶴女房の原型の、のぞきの場面はつぎのようである。

二三日もたつと、嫁は「六尺四面の機屋を拵(こしら)えてくれ」とたのんだ。……すると嫁さんは「俺の機を織ってる処を見てくれんな」と云って、その中にはいって、一機織ってでき上ると、出いて見せた。それが錦だやら何だやら知らんが、そこらで着るもんでなかった。嫁は「それを天朝さまの処へ持って行って、千円に買うてくれと云え」と教えた……。

兄ちゃんは又慾が出て、嫁さんに「もう一機織ってくれ」とたのんだ。それで嫁さんは又織るに取附いた。チャン〱バタ〱と云う音がして、見にゃおれんようだったが、兄ちゃんは我慢して見ずにおった。それでもとうとう我慢できんで、少し節穴からのぞいて見ると、一羽の鶴が我が身の毛を抜いては織り、抜いては織りしていた。

すると鶴は、兄ちゃんがのぞき見したのに気がついて、「見るなと云うに、見たさかいに、俺アこれで暇をもらう」と云って、半分織りかけにしたまま、飛んで行ってしまったと[8]。


これら二つの話は、「見るな」の禁忌があって、「のぞき見る」というタブー破りの行為があることを、明確にしている。しかし、「見るな」という禁止命令が欠落していて、のぞき見のくだりだけがヤマになっているかたちの話もたくさんある。たとえば、「喰わず女房」、「鮒（ふな）女房」、「鯛（たい）女房」、「蛤（はまぐり）女房」、「狐女房」などは、そのたぐいである。これらは、ただ約束をする場合がおちている、つまり、変型であって、のぞき見することによって、関係が破綻するというパ

ターンは共通である、と柳田は論じている。(9)

つうと女工さん

「鶴女房」の民話にもとづいて創作された「夕鶴」の上演について、作者の木下順二はつぎのようにいっている。

それは「夕鶴」を持って関西や信州の紡績工場を廻ったおりのことだったが、その時見物の女工さんたちは、意外なところで「夕鶴」の舞台に共感を示してくれた。
それは例ののぞき見の部分で、つうの云いつけにもかかわらず与ひょうがとうとう機屋をのぞいてしまう、あののぞくところで客席の女工さんたちは、まるで自分のことのように身を乗り出して来た。のぞいちゃいけないという声さえいくつか飛んで、やや誇張して云えば客席が騒然となった。(10)

観客のこのような反応は、観客である女工さんたち自身が、寮では寮母に、現場では職制に監視され、いつも「背中に目が光っている」と、かの女たちのいう生活をしているためである。(11)

そして、さいごにつうが空にとびたってゆくのは、かの女たちにとって、のぞき見されることのない生活への解放を意味するのだ、と作者はいっている。

のぞき見ということが、古い民話の世界にだけではなく、現代の日本の生活の中でも強烈に意識されていることがわかる。ただし、古代社会では、規範を作ったのは女性であったが、現代の紡績工場の娘たちにとって、規範はかの女たちに強制されているのであり、その規範を守るべく、かの女たちは監視され、のぞき見られているのである。したがって、「のぞき見るな」は、そこでは、規範と、規範を守らせるための監視への抵抗の意味になる。

作者からうかがったところによると、一九六〇年に、北京、武漢、上海、杭州で、「夕鶴」が上演されたとき、のぞき見る場面で、観客がわきたつようなことは、一度もなかった、ということである。

三　看破り型＝中国の異類婚姻譚

たにしとすっぽんの正体

日本以外の社会の異類婚姻譚でも、はたしてのぞき見が日本ほどに強調されているのだろうか。わたしには、世界の民話と日本の民話とを比較するだけの学識がない。そこでわずかに、中国の民間説話を収録した奇怪小説および伝奇小説の中から、異類婚姻譚をえらび出して、くらべてみることにしよう。わたしの見たかぎりでは、中国の民間説話は、のぞき見型であるよりも、看破り型であるほうが多い。

日本の魚女房や鶴女房の原型に近いものに、『捜神後記』(陶淵明の作といわれている)の「田螺(たにし)の中の天女」(「白水の素女」)という話がある。貧しい農夫が、田螺を拾ってカメの中に飼った。すると、それまでとはちがって、夕方家に帰ると火はおこしてあるし、飯もたいてある。おかしいと思って、朝のうちにこっそり引き返して、垣根の外から中をうかがうと、若い女が働いていた。「わたくしは天の川の中にいる白水の素女なのです。……十年のうちにあなたをお金持ちにし、お嫁さんももらえるようにしてあげたうえで、わたくしは帰ることになっておりました。でも、あなたがこっそりのぞいたりなさって、わたくしの正体があらわれてしまったからには、もうここにいるわけにはまいりません」といって去ってしまう。しかし、その後農夫は暮らしが豊かになって、お嫁さんを迎えることができた[12]。

この話では、たしかにのぞき見がヤマになっている。しかし、女は、のぞき見られることによって「正体があらわれてしまったから」、去るのだとはっきりいっている。のぞき見るなのタブーを破ったということよりも、のぞき見の結果として、正体を看破られたというところに、力点がおかれている。『捜神記』(四世紀半ばの人、干宝の作。当時民間にいい伝えられていた奇怪な話を集め、記録したもの)に、「すっぽんに変わった母親」の話がある。「魏の黄初年間に清河(河北省)の宋士宗という人の母親が、ある夏の日に浴室で行水をするといって、一家の大人も子供も全部浴室の外へ追い出し、長いあいだ一人で閉じこもっていた。家族はどういうつもりかと不審に思い、壁の穴からのぞいて見た。すると人間の姿は見えず、桶のなかには一匹の大きなすっぽんがいるではないか[13]」。その後すっぽんは逃げていってしまった。

この話は、のぞき見したから逃げた、という因果関係よりも、その後、士宗が、母は姿こそ変わったが生きているといいはって、葬儀を出さなかった、という結末の方に強調点がある。

また、「亀に変わった母親」という話が二つあるが、いずれも、のぞき見のくだりはない。第一話では、「黄の家ではそれから、代々、海亀の肉を食べないようになった」という、食物禁忌の由来が眼目である[14]。

正体を看破るのがヤマ

中国の異類婚姻譚の中で、大きな比重を占める動物は狐である。中国の狐が人間に化けるのには、はっきりした目的がある。狐は狐なりの修業を積んで、神通力を得て、狐の最高の位である「天狐」になることである。人間の男性の精気を奪うことによって、狐は神通力を得ると信じられている。それゆえに、狐は美女に化けて、つぎつぎに人間の男をたぶらかすという。[15]
そこで人間の方では狐を警戒し、怪しいと思えば正体を看破るように相つとめる。

ある農家の息子が狐の化けた女に魅惑され、道術を使う人を呼んで退治してもらった。その人は狐をつかまえ、釜ゆでにしようとしたが、息子が地面に額をすりつけて助命を乞うたので放してやった。

その後息子は、狐の女を慕うあまり病気になって、医者も手がつけられなかった。するとある日、狐の化けた女がまた来たので、息子はその顔を見るなり涙を流して喜んだが、狐の方は平気な顔で、息子にいった。

「あなたがそんなに私を思っているのは、私の容貌が気に入っただけのことで、それが私の仮の姿なのをご存じないからですよ。私の正体を見たら、あわてて逃げ出すでしょう。」

そして、ぱっと地に倒れると、灰色の毛に長い尾の姿となり、ヒュウヒュウと鼻息をたて、炬火(たいまつ)のようにぎらぎらと目を光らせ、屋根の上にとびあがって何度も長く鳴いてから、姿を消した。息子はそれ以後、病気がなおってしまった。

この狐はよくぞ恩返しをしたといえよう[16]。

道士やラマ僧にたのんで正体を看破ってもらう場合と、他人が気がついて化けものを発見する場合と、犬がかぎつけてかみ殺す場合と、自分で気づいて相手の正体をみとどける場合と、いろいろあるが、いずれも、「正体を看破る」というのがヤマである。

夫が遠くへ旅立った後、何ものかが夫に化けてあらわれた。つきものを落とす術を心得たものをたのんで治療してもらうと、ふとんの中から獺（かわうそ）がとびだした[17]。

王双がいつも菰（こも）の下にもぐってねているので、他人が菰をはいでみたら、長さ二尺ほどのみみずがいた[18]。

日雇いの張四喜が、流れ歩いているうちに偶然あった老夫婦から、よく働くことを認められて、娘を嫁にもらった。「ところが時がたつにつれて、張四は妻が狐だと気づいた。獣と夫婦になったのは恥ずかしいと思い、妻が一人で立っているおりを狙って、弓を引きしぼり左の股を射あてた」。狐は立ち去り、四喜は病死した[19]。

妻子をつれて都へゆく途中、妻と子が猟犬に噛みころされた。死体を見たら狐だった[20]。

正体を見とどけるために、手のこんだ実験をする話もある。妾の博士が正妻が神女であることをさとり、主人に話す。「わたくし奥さまのご様子を拝見しますに、この世のお方ではないように思います。……奥さまにおっしゃっちゃだめよ。わたくしが試してみますから。もしも神様でしたら、何か欲しいものを、人のいないところで香を焚いて祈ったら、奥さまはちゃんとわかって下さるにちがいありませんことよ」。そこで博士は、刺繍をほどこした女の靴下がほしいと香を焚いて祈った。すると翌朝、正妻から妾に、美しい靴下がとどけられた。これは長い話の一節だが、最後に、「女〔正妻〕は神であった。それを博士が知りえたのは、いかなる術によったのであろうか。してみれば、人間の知恵はたしかに神以上であることがわかる」というコメントがつけ加えられている[21]。

このように、相手が人間に幸福をもたらすものであるにしろ、不幸をもたらすものであるにしろ、異類であることを発見するところに力点がおかれている。それは一種の知恵だめしなのである。

以上は、名前のある作者が、民間説話を採録したり、また伝奇小説にしたてたりしたものの中から、えらんだ異類婚姻譚であって、民話ではない。中国の民話のなかの異類婚姻譚と、日本のそれとをくらべるのでなければ、対比は正確とはいいがたい。しかし、傾向として、日本の民話の中の異類婚姻譚は、のぞき見に話のヤマがあり、中国の民間説話における異類婚姻譚は、看破るほうに、重点があるということはできる。

天人とか動物など、人間以外のものが、人間と結婚する話は、どこの社会の民話にも共通するすじ立てである。そして、「見るな」のタブーと、タブーを破ってのぞき見することによって、破綻が生じるというすじ書きは、おそらくどこの社会の異類婚姻譚にも、原型としてあったのであろう。それは、日本の民話にかぎったことではなかろう。しかし、とくにのぞきを強調し、その原型を永く保存したところに、日本の異類婚姻譚の特徴があるといえるのではないか。中国の場合は、のぞき見の原型は、たとえば「白水の素女」や、「すっぽんになった母親」や、「地神の夫」(『河東記』唐代伝奇集[22])などに残っている。しかし、関係の破綻は、のぞき見それ自体ではなく、正体を看破られたところに、力点が移されている。そして、のぞき見のくだりがまったくなくて、看破りだけが強調されている話が多い。

四　のぞき文化

相手に見られずに相手を見る

のぞくということを、日本人の気質とむすびつけて説をたてたのは柳田国男である。

強いて細かな観察をすれば、外を知るということと、外から知られるのと、事が別々になって居て御互いで無いのが気にかかる唯一つの点である。田舎の世間通は簾などの中から外を覗いて居るような姿がある。此方は隠そうというつもりは無くとも、見られる機会だけがまだ後に残されて居るのである。……日本のように欧米の国の生活の台所や寝間までを、詳しく知ろうとして居る国民は先ず無いかと思うが、それで居て又是ほどの誤解と、いい加減な当て推量を甘んじて受けて居るのも珍しい、そんなら見せるさと云って見たところで、見せるは見られると違うから話が又よそ行きになる。

相手に見られないでいて、相手を見ることを、「のぞく」ことだと柳田は定義づけた。そしてこのような意味での「のぞき」が、日本人の好奇心のあらわれ方の特徴だとしたのである。「この己れを空うした一方的の興味は、自由な都市式の対等の往来よりも、寧ろ暗処に居て独り視ようとしたような、余計な警戒ぶりが癖になってしまったのである。是は小児のハニカムとか、又はワニルとかいう情とも関係があるもので、仮に一時の考え違いが加わって居るにしても、根本の原因は深く国民の気質の底にあるものと思われる」[23]。

原初心性に根ざす

のぞき見と好奇心のつながりは、日本独特のものではない。好奇心をのぞきのかたちであらわす表現形式は、パンドラとアマテラスの神話の比較でみたように、おそらくさまざまの社会の原初心性に根ざしているのであろう。しかし、のぞき見と好奇心とが、古代から現代にいたるまで、ひきつづき深くつながっていることが、日本の特徴といえはしないか。その特徴を、柳田は、農村生活の居住のし方によって形成されたはずかしがりの根性にねざしているのだと説明した。わたしは、のぞき見趣味が、日本人のはずかしがりの気質にのみむすびつくとは断定できないと思う。しかし、日本人の好奇心が、古代からひきつづき現代まで、のぞき見にむすびついているという説は、例証することができる。

のぞきというのは、見るなというタブーがあって、しかもそのタブーを破ってあえて見ることである。しかも、相手に見られないようにして、ひそかに相手を見ることである。大っぴらに見るのとはちがって、ふし穴や隙間から、隘路（あいろ）をとおしてみることである。見たいという願望が、見てはいけないという禁忌によって触発され、「ずいの穴から天井のぞく」式の狭いところから見ようとするために、対象に注意力が集中される。禁忌がかえって好奇心を強化するのである。そして、好奇心をもって禁忌を破ることによって、これまでの人間関係は破綻し、変化がもたらされる。このような一般的なパターンを、のぞき文化と名づけると、日本文化は、今もって、のぞき文化ということができるだろう。

注

（1）Jay Macpherson, *Four Ages of Man*, The MacMillan Company of Canada, 1962, p. 20.
（2）佐喜真興英『女人政治考』岡書院、一九二六年、六七頁。
（3）『古事記 祝詞』日本古典文学大系1、岩波書店、一九五八年、八一頁。
（4）柳田国男「辞書解説原稿」、『定本・柳田國男集』第二六巻、筑摩書房、一九六四年、三四〇―一頁。
（5）柳田『桃太郎の誕生』、『定本・柳田國男集』第八巻、一九六二年、一三七―四二頁。
（6）関敬吾編『こぶとり爺さん・かちかち山』岩波文庫、一九五六年、四〇―三頁。

（7）同右、三三―四頁。
（8）『全国昔話記録・佐渡島昔話集』、木下順二「作品について」、『綜合版・夕鶴』未來社、一九五三年、六二頁より引用。
（9）柳田国男『昔話と文学』、『定本・柳田國男集』第六巻、筑摩書房、一九六三年、二六八―九、二七六―七頁。
（10）木下順二、前掲、六七―九頁。
（11）戸樫いさ江「職制の目」、鶴見和子編『エンピツをにぎる主婦』毎日新聞社、一九五四年、一五三―八〇頁。
（12）陶潜作、竹田晃訳「捜神後記」、『幽明録・遊仙窟』平凡社東洋文庫、一九六五年、一〇七―一九頁。
（13）干宝作、竹田晃訳『捜神記』平凡社東洋文庫、一九六四年、二七一―二頁。
（14）同右、二七一頁。
（15）前野直彬「解説」、『閲微草堂筆記・子不語』中国古典文学大系、平凡社、一九七一年、五二三―四頁。
（16）紀昀作、前野訳「狐の報恩と深慮」、『閲微草堂筆記』一八〇〇年、同右、八一―二頁。
（17）劉敬叔（?―四七〇ごろ）、前野訳「にせの夫」「異苑」、『六朝・唐・宋小説選』中国古典文学大系、六七頁。
（18）「菰の下の女」同右、六―六七頁。
（19）「狐の妻」同右、一四一―二頁。
（20）劉義慶作、尾上兼英訳「狐の妻」、『幽明録』前掲、二三―四頁。
（21）蒲松齢作、増田渉訳「神女」、『聊斎志異』（清代初期）下、中国古典文学大系、一九七一年、三二五―三一頁。

(22) 作者不明「地神の夫」「河東記」、『六朝・唐・宋小説選』前掲、三七八―八〇頁。

(23) 柳田『明治大正史世相篇』、『定本・柳田國男集』第二四巻、一九六三年、二四四―五頁。

第六章　漂流の思想

一　国禁破り

鎖国令が海難をもたらした

一六三五（寛永十二）年の鎖国令は、つぎの三条をもって始まる。

一、異国へ日本の船を遣わす儀は、堅く停止する。

一、日本人を異国へ遣わしてはいけない。もし忍んで乗渡る者があれば、其の者は死罪とし、其船と船主は共に留置して訴え出るべきである。

一、異国へ渡り移住した日本人が、帰ってきたならば死罪を申し付ける。[1]

このようにして、日本船が外国へゆくことも、日本人が外国へゆくことも厳禁され、すでに外国へいっていた日本人が、帰国することも、無条件に禁じられた。

漂流とは、本人の意図せざる国外流出である。そして、鎖国下の漂流は、本人の意図せざる国禁破りである。気がついてみたら、国境をはるかに越え、国家の課した禁忌を犯していたのである。すべての漂流が国禁破りではない。鎖国令が、漂流を国禁破りにしたてたのである。

十六世紀から十七世紀の初期にかけて、日本の船舶建造の技術と、航海術は、かなりの水準に達していた。一六一三年から一六一八年のあいだに、太平洋を二往復した伊達政宗の船「サン・セバスティアン号」は、石井謙治によれば、「高い船尾楼をもち、前檣と主檣とに各二枚の横帆、後檣に一枚のラテンセールのある『ナベッタ』ないし『ガレウタ』と称された洋式の船であった蓋然性が極めて大きい」という。[2] そしてこの洋船は、松田毅一によれば、幕府の「船手奉行、向井将監から派遣された公儀大工の与十郎らが中心となり、〔スペイン艦隊の司令官にも任ぜられたことのあるスペイン人司令官の〕セバスティアン・ヴィスカイーノの部下が到着するにおよび、その協力を得て完成したとみるのが適当であろう」といわれる。[3]

中国や東南アジア向けに使われた朱印船は、太平洋航路用に造られた洋船とは構造が異なっていた。「御朱印船は一般に唐船造りといわれているが、西洋式帆船のよいところも取入れた折衷型と見た方が妥当である」[4]。

航海術については、「サン・セバスティアン号」は、スペイン人水夫を雇った[5]。初期の朱印船の多くはオランダ人航海士を雇ったといわれる。緯度の測定、天測方法、羅針盤や洋式海図の使用などもとりいれられていた[6]。

ところが、鎖国令によって、造船術も航海術も、後退を強いられた。それまでの洋式帆船およぴ和洋折衷型の外航船はすべて廃止されただけでなく、それまで地方の風土条件に適したように造られていた多種多様な和船も、瀬戸内海用の弁才船に統一されるようになった。石井謙治は、弁才船の構造的弱点を仔細に検討して、静穏な瀬戸内海以外の沿岸航路に不向きであるばかりでなく、外洋航海には大きな危険をともなうことを指摘する。そして、「……鎖国令の実施が朱印船のような航海型の船を禁じたため、こうした沿岸用の廻船をもって数百キロメートルから数千キロメートルに及ぶ長途の航海に従事せざるをえなくしたもので、いわば海難の頻発は政策がもたらした結果にほかならなかった」と論じている[7]。

造船術だけでなく、航海術も一変した。それまで使われていた天測法や磁石や海図による方位測定法は廃止され、原始的な山見航法にたよらざるをえなくなった。快晴の時はよいが、いったん暴風になれば、山など見えたものではない。したがって、大洋に流されはじめると、位置や方角の測定はまったく不可能になる。[8]

ゆきて還らぬ旅路

旧暦十月から正月にかけて、漂流件数が最も多いのは、日本近海をふくむ北太平洋海域に吹く北西季節風のためである。これに加えて、本州、四国、九州の海岸には、黒潮とよばれる海中の急流がある。大西洋の卓越風と海流は、ヨーロッパ人にとって向岸風、向岸流であるのに比して、太平洋の卓越風と海流とは、離岸風、離岸流であるために、とくに日本人にとって、漂流はゆきて還らぬ旅路を意味した。[9]

他方、年貢米その他の物産を国内輸送するのに、陸路よりも海路のほうが安あがりであった。とくに江戸と大坂のあいだの往来が頻繁になった。国内経済の発達とともに、大手の廻船業者だけではなく、小型の廻送船もこれに参加するようになり、廻船の増加が、漂流の機会の増大をもたらした。

漂流件数を的確につかむことができないのは、海の藻屑(もくず)として消えてしまったか、あるいはどこかに漂着しても、還ることができなかったものが、多いためである。十九世紀以降になって、太平洋に捕鯨船や貿易船がゆきかうことが多くなってから、外国の船に漂民が救助される機会も、以前よりは多くなった。しかし、日本に還りつくことのできたものは、漂民全体からみたら、ごく少数であったにちがいない。これらの帰国した漂民たちは、本人の意図とかかわりなく、国禁を犯した犯罪者として、捕えられ、幕府または藩の監視のもとに禁固され、キリシタン改宗の詮議を受けたうえで、かれらの見聞したことは、幕府や藩の学者たちによって、詳細な調書がつくられた。これらの記録は、極秘文書として、当局者以外が見ることを禁じられたにもかかわらず、さまざまの写本となって、民間に流布した。

幕府が、鎖国令を出すことがなかったら、国禁破りとしての漂流は、生じることがなかった。また、造船術と航海術を後退させることがなかったら、物理的にも、漂流件数ははるかにすくなくてすんだであろう。さらに漂流が国禁破りでなかったら、漂民の見聞を、当時の大学者たちが、長い時間をかけて聞き出し、記録することもなかったであろう。

逆説的にいえば、鎖国が漂流を誘発し、促進させただけでなく、多くのすぐれた漂流記を生み出したのだといえる。そして、それらの漂流記が、幕府および藩の鎖国への政策に直接影響を与えただけでなく、民間にしみわたった反響が、間接的に開国への世論を作っていったと考えられる。鶴見俊輔は、漂民の記録が、渡辺崋山の『鴃舌(げきぜつ)小記』や『慎機論』、高野長英の『夢物語』などの幕政批判の書を書かせる刺戟となったことを、重視している(10)。

漂民たちの強烈な好奇心

漂流は日本独特の現象ではない。日本に鉄砲をもたらしたのは、ポルトガルの漂着者アントニオ・ダモアであった。イギリス人ウィリアム・アダムズ(三浦按針)はオランダ船で日本に漂着した水先案内人であった。スペイン人でフィリピンの臨時総督であったドン・ロドリーゴは、メキシコに向かう途中房総沖で遭難し、日本に上陸した。これらはいずれも寛永の鎖国以前のできごとであった。これらの有名無名の外国の漂流者たちは、自国の法律を犯したわけでもなく、また漂着した日本の掟を破ったわけでもない。しかし、一六三五年の鎖国令によって、日本人にとって漂流は、自国の国禁を破る行為となった。そして日本からの漂流者は、無名の常民にかぎられた。

このような点で、日本人にとって漂流は、鎖国の経験をもたなかった外国人の漂流とくらべると、特異な性格をもっている。

川合彦充の「近世日本漂流編年略史」によれば、一六三七年から一八六七年までの二三〇年のあいだに、二五四件の日本人の漂流事件があげられている。ジョン万次郎の乗った漁船が漂出した一八四一年には、漂流件数は年間五件にのぼっている。彦蔵が遭難した一八五〇年には、年間漂流件数は二四件におよび、この年表に示されている中では、年あたりの最高件数である。[11]

日本人の漂出が二三〇年間に二五四件というのは、内輪の数字である。それは、「略史」によったというだけでなく、還ってこなかったものの記録がないためである。実際はこれよりはるかに多くの漂出があったにちがいない。

日本人が漂着した先は、メキシコ、ハワイ、アメリカ、カナダ、アラスカ、アリューシャン列島、カムチャツカ、オホーツク、シベリア、ロシア本国、中国、朝鮮、台湾、バタン諸島、ルソン島、ボルネオ、安南、ジャワ等の広範な地域におよんだ。[12] その中から、アジア地域の清(しん)国(中国)およびルソン(フィリピン)、北方のカムチャツカ、オホーツク、ロシア本国、および東方のアメリカ合衆国に漂流した人々の記録をとりあげてみよう。

これらの漂流の記録を読んで心を打たれるのは、漂民たちの困難とたたかって生きぬく不撓(ふとう)の生命力と、異国の風物文化への強烈な好奇心である。衣食住の日常生活のこまごましたことから、それぞれの社会の家族、政治、司法、歴史、言語、技術、芸術にいたるまで、実に広範なことがらに、鋭い観察をおこない、鮮明に記憶していることである。さらに、これらの事実に対する、独自の見解をも開陳している。これら漂民のすべてが、漁民、農民、商人などの庶民階級の出身である。そうしてみると、漂民の外国見聞録は、江戸時代の日本の民衆の、情動と知力と行動力の水準を示す一つの重要なバロメーターだということができる。

二　中国行

一六四四年六月、越前国の三艘の商船に、五八名が乗り組んで、松前へ向かおうとしたが、佐渡を出航して間もなく大風にあい、漂流一五、六日目に、韃靼(だったん)国へ吹きよせられた。上陸したが、掠奪されたり殺されたりして、生き残ったのはわずか一五名であった。盛京（今の瀋陽）へ連行された。そこから馬で北京に向かった。

一六四四年といえば、満州族が明(みん)王朝を倒し、清国を樹て、首都を瀋陽から北京へ移した年である。はからずも越前の漂民国田兵右衛門らは、瀋陽から北京への満州人の大移動という歴史的大事件に逢着した。「日本人北京に参り候時分、韃靼より引越候男女、三十五六日路の間、引も切れ不申候」と記している。漂民たちはまた、この旅の間に、万里の長城を越えた。「韃靼と大明との国境に、石垣築き申候。万里之れ有る由申し候。……瓦(かわら)の様成る物にて、厚さ三四寸にして重ね、しっくい詰に仕候。堅く滑(なめらか)に候事焼物に薬をかけ申ごとくに候。殊(こと)の外(ほか)古く見え候えども、少しもそこね申さず候。通道の所は石垣を丸くくりぬき、其上に門矢倉立て申し候。此の丸くくりぬき之有る処も薬をかけ候ごとく、爪も懸り申さず候」。長城に対するまことにこまやかな観察である。

北京では、幼帝清世祖の後見役であった伯父のキウアンス（睿親王）に謁見している。「年三十四五に見え申し候。細く瘦せたる人物にて、此人第一の臣下にて、上下共に恐るる事、歴々の衆も直ちに物申す事成り兼候由にて候。町々通行の時見申し候。町人も其外も頭を地に付け罷り在り候。日本人は不便に思い候由にて、御前近く度々召し出し、御懇に仰せ付けられ候」。

北京では漂民たちは知遇をえたが、帰国の志が強く、帰国願いを出して許され、一六四六年六月に対馬に送還された。はじめはことばがぜんぜん通じなかったが、しだいに見ききしておぼえ、後には「大方の詞も遣い候」といっているから、帰国の交渉なども、韃靼語でおこなったのであろう。

一六四六年八月には、「国姓爺合戦」の主人公の鄭成功の父で、明の遺臣鄭芝竜が、明朝復興のため挙兵を企て、幕府に援軍派遣を要請した。幕府は密議をこらしていたが、御三家はじめ諸大名の中にも派兵に賛成するものがあった。この時井伊直孝の主張によって、出兵はしないことに決まった。井伊の出兵無用論の一つの論拠を提供したのが、この密議二カ月前に大坂に到着した越前の漂民たちの、証言ではなかったかといわれている。漂民たちは、自分たちの仲間が、上陸直後に掠奪され、殺されたにもかかわらず、それを怨みとせず、瀋陽および北京での見聞にもとづいて、清国の事情を偏見なく証言した。「御法度万事の作法、殊の外潔白に正しく、金銀取り散らしても、盗み候様子の者之なく、且つ又常々いんぎんに御座候。上の教えにて、右の通りの国風にて候。但し日本人を殺し候所は遠国ゆえ、御法度も相守り申さぬ様子の趣にあい見え、〔瀋陽の役所では、掠奪殺りくのことを知って〕殊の外御立腹のていに相見え候」[13]。

もし、この漂民たちの清国見聞記が、幕府の出兵拒否の決定に影響を与えたのだとしたら、越前の漂民たちは、日本の対外侵略を防ぐために重要な貢献をしたということができる。

三　フィリピン行

一八四一年十月、仙台藩の漁民八名が乗り組んだ船は、城米を江戸へ廻送する途中、九十九里浜の沖合で、北西風に吹き流され、翌年七月、フィリピン群島の小島に漂着した。マニラに一カ月ばかり滞在して、香港、舟山、乍浦をへて一八四三年十二月、長崎に帰着した。かれらの見聞は蘭学者で開国論者の大槻磐渓によって記録され、『呂宋国漂流記』と題された[14]。

一八四〇年から始まった第一阿片戦争は、一八四二年、南京条約によって、ひとまず終結したところであった。

イギリス海軍に占領された舟山では、漂民たちは、イギリス軍艦が一四、五隻、またその前後の島々に一隻あるいは二隻ずつ、碇泊しているのを見た。清国側が英断をもって焼却した広東の英国商店在庫の阿片に対して、英国側が要求した賠償額を、清国が完済するまでは、これらの英国軍艦は、舟山にとどまり、中国人を威嚇しているのだということを、漂民たちはおどろきをもって、述べている。香港では、この港がイギリスの所領になり、イギリス人の家がどしどしたてられているのを見た。乍浦では、イギリスの大砲によって破壊された中国人の家の跡が、海のあちこちに浮かんでいるのをながめた。日本の船夫たちが、国際戦争の惨禍と、外国の植民地支配の怖るべきことを、はじめて目のあたりに見て、的確な観察と判断をしていることは、驚嘆にあたいする。

また『蕃談』は、一八三八年十一月、仙台唐丹の沖あいで遭難し、カムチャッカまでいって、アラスカ経由で送還され、一八四三年江戸に帰った、富山藩の漂民次郎吉の見聞を、憂天生こと古賀謹一郎が記録したものである。ここでも阿片戦争の見聞がでてくる。帰国の途上、「サンイチ」島でうわさにきいたところによると、広東では「オッペン」（アヘン）の一件で、イギリスと中国とが合戦の最中である。「サンイチ」の英人兵卒の話では、「エケレス」の兵船二百七、八十隻が、広東を攻撃しているそうだが、その戦争が終わったら、こんどは日本・琉球にも赴くということだ、と注進している[15]。

阿片戦争に関する中国の実情を、幕府や雄藩の志士たちが知っていたことが、近代初期の日本をして、欧米列強の植民地になる道を歩ませなかった一つの大きな理由だということができる。とすれば、幕末のこれら漂民たちが、驚くべき好奇心をもって見たり、聞いたりして得た情報が、近代初期日本の独立の保全に、一役買っているといえる。

四　ロシア行

光太夫の「なんでも見てやろう」

一七八二年十二月、伊勢白子の船頭大黒屋光太夫以下一七名の船夫をのせた神昌丸は、紀州藩の廻米と、紙、木綿、薬などを積んで江戸へゆく途中、駿河湾の沖で北西風にあい、柁をくだかれて漂流しはじめた。七カ月の漂流ののち、翌年アリューシャン列島のアムチトカに上陸し、そこに四年滞留した。一七八七年カムチャツカに渡り、さらに翌年オホーツク、ヤクーツクにたどりつく。そこに約二年滞在したのち、ペテルスブルグにゆき、女帝エカテリーナ二世に謁見する。首都にとどまること九カ月で、ロシアの使節にともなわれて、蝦夷地にかえりついたのは、一七九二年九月であった。一〇年の漂泊である。その間に、一二名は死亡し、二名はイルクーツクに留まり、帰還したのは、光太夫、小市、磯吉の三名であったが、小市は根室で病死した。光太夫は、帰国の時に四十二歳とある。

翌年一七九三年、将軍家斉（いえなり）は、光太夫と磯吉を吹上御殿で引見した。その後蘭学者桂川甫周が、光太夫の見聞をきき出してまとめあげたのが、『北槎聞略（ほくさもんりゃく）』全一一巻と付録一巻である。このほかに、光太夫の持ちかえった衣服や道具を写生した絵図と、世界地図がついている。数多い漂流記の中で、最優秀の記録と評価されている。

この記録には、二つの興味の焦点がある。一つは大黒屋光太夫その人の人間的魅力である。かれが、どういう状況で、どのように行動したか、という個人史への興味である。もう一つは、帝政時代のロシアの民俗習慣、社会制度、風物へのたしかな観察である。それは、綿密な研究と、生彩ある描写において、今日の人類学者や社会学者の調査に、まさるとも決して劣りはしない。そこには、「なんでも見てやろう」の生き生きした好奇心が働いており、また当時の日本の風俗習慣、制度との鋭い比較の眼が光っていることは、驚くほどである。

ピョートル一世以来、ロシアは日本への北回り航路の発見と、通商貿易への強い関心をもっていた。日本からロシア領への漂着者は、すでに光太夫らより以前に、一六九七年（大坂の商人、伝兵衛ら）、一七〇八年（氏名不詳）、一七一〇年（サニマ）、一七二九年（ソーザとゴンザ）、一七四五年（一〇名の船夫）と、あいついでいた。[16] 光太夫が漂着したころは、女帝エカテリーナ二世の治世であった。エカテリーナは、ピョートルとおなじく、日本との通商を熱望し、漂着者がある時は、皇帝にとどけ出るように、辺境の役所に命じていた。

光太夫はイルクーツクに着くと、キリログスタウウィチ・ラックスマンにめぐり合った。ラックスマンは、一七カ国語に通じる博覧強記の学者であり、教授であり、ポポコルニカの官職にあった。光太夫は、その才覚を見こまれて、ラックスマンの知遇をえた。ラックスマンは光太夫の帰国の願いをきいて、みずから草案をしたため、役所に帰国願いをとりついでくれた。役所の返事は、光太夫に仕官の途を与えるから帰国を思いとどまるようにということであった。かさねて帰国の意志を伝えると、こんどは商人になりたければ、家作を与え、税金を免除するという返事であった。これも断ると、いくら待っても沙汰がなくなった。公用でペテルスブルグへゆくラックスマンにともなわれて、光太夫は、八頭の馬にひかせた橇（そり）に乗り、六千里の道のりを三〇日、昼夜わかたず走って、首都についた。

ペテルスブルグでは、ラックスマンの肝煎りで、エカテリーナ女帝に拝謁した。その時の宮廷の模様、謁見の作法など、こまごまと描かれている。女帝は、執政の妻を介して、「光太夫に海上にての艱苦、また死に失せし者共の事なんどくわしく尋ね訪わせらるる故、詳に答え申ければ、ヲホジャウコと宣う。これは死者を悼むの語なり。この時女王顔にややうれいを帯びて見えけるが、初よりの帰国の願はほど久敷事と聞ゆるに、如何して今まで聞せざりしやと尋ねらるる趣なりしか……」あとできいたところによると、取り次ぎの役人が、幾度もの光太夫の帰国願いを、にぎりつぶしていたことがわかり、「女主以の外に逆鱗あり」ということだったそうだ、と記されている。

その後光太夫は、皇太子や皇孫の宮殿にもしばしば招かれて、日本のことを尋ねられたり、絵草紙や、浄瑠璃本などの和書や、ロシアで作られた日本にかんする本などを見せられた。ある時、光太夫の迎えの車がおそかったので、皇太子の輿にのせてもらって帰ってきたことがあったが、その時は、さすがにラックスマンも「もっての外におどろき、いかに外国の人なればとて、かさねてかかる事はせまじき事なりとて、大きにいましめ、はては大笑になりけるとぞ」といっている。[17]

五月に謁見があり、帰国の許可がでたのは九月であった。十月にふたたび謁見し、ロシア本国でただ二人しかもらったことがないというメンダーリ（勲章）を授けられる。この勲章をもらった二人のロシア人は、一人は花火作りの古今の妙手であり、もう一人は商人の手代で、九年間航海して、アメリカ一周をした男であったそうだ。そして三人目が光太夫で、外国人としてははじめてである。おそらく、光太夫がロシア滞在中に果たした庶民外交への功労章であったろう。また、光太夫らを優遇して送り返すことが、日本との通商のいとぐちになるかもしれないという、期待がこめられていたのであろう。

日本語辞典を改訂する

具体的に、光太夫は、ロシア滞在中、ロシアへのどんな貢献をしたのだろうか。

イルクーックにいたころ、日本の服をもって、学校にくるようにと呼び出された。小袖に羽織をきて、佩刀（わきざし）をつけ、台の上にあがり、学童に、日本の風俗のことなどを、ラックスマンの通訳で、話してきかせた。この学校には、「万国寄語」という外国語辞典の原稿があって、その中に、日本語の部があった。この日本語の部に、誤りがあれば訂正してほしい、と頼まれたのである。光太夫が読んでみると、どのことばも、「何々の事」「何々の事」と記されている。たとえば、鼻を、鼻の事、耳を、耳の事、というように。これは、以前にロシアに漂流した日本人に聞いて書かれたものだが、その時漂民たちは、「これは、何々のこと、あれは、何々のこと」といったのを、そのまま書き記したためである。

また、この書の中に、南部（今の岩手県）の方言が多かったのは、以前に四回にわたって漂着した人々が、三回までは南部人であったためであった。イルクーツクには、ロシア人の通訳が三人いたが、その三人とも、南部訛(なま)りの日本語を話していたのは、かれらの日本語の先生が南部の人だったためである。このようなことが、光太夫によって、はじめて発見された。

光太夫は六日がかりで、日本語の部の改訂をすませた。光太夫が改訂した日本語の部は、大辞典の第一、二巻にあたる。『各国語および方言比較辞典——ヨーロッパおよびアジアの部』の中にふくまれ、一七八七年に出版された(18)。

言語についていえば、光太夫らがカムチャツカに上陸したてのころ、「この地に来りてはや二月余りにもなりけれども、一円に言葉も通ぜず」、仕方がないので、手まねで用をすませた、と記されている。ところが、『北槎聞略』には、ロシア語の語彙および日常会話の表現が、一千数百語に及んで収録されている。筆者の桂川は、「漂人等が記語するところ、……其声音呼喩(こきゅう)清濁軽重の隙(あいだ)、終(つい)に訛(あやまり)なき事能(あた)わず」とはことわっているが、それでも、これだけのことばを、よくおぼえたものだと思う。晩学で学ぶ外国語は、字引にばかりたよるようになり、それでもなかなかおぼえられない自分のことを思いくらべると、光太夫の語学力は驚異である。

光太夫は、ロシア人にたいしては日本語辞典を改訂することによって、日本人にたいしてははじめてロシア語と日本語の基本単語および日常表現の対照表を作ることによって、両文化の取りつぎをした最初の人である。ちなみにロシアでは、ロシアに帰化した漂民サノスケの子タターリフ編による露日辞典『レクシコン』が、光太夫らが日本を漂出した一七八二年に完成している。(19)

つぶさにのぞき見る

ロシアの地誌、自然、風俗、制度等に関する光太夫の観察は多岐にわたるが、その中からとくに好奇心の強いことがあらわれている例と、比較の視点においてすぐれている例とを、二、三とり出してみる。

第一は、子どもの育て方についての観察である。「小児をば乳をのます時ならでは抱かず。常には箱を吊り、内に哆囉呢（らしゃ）の蓐（ふとん）に鳥の毳（にこげ）を入たるを敷て、そのうちに入置（おき）、啼（なく）時はこれを揺（うごか）す」。これについては、桂川の註がついていて、これは古代中国では「揺籃」といったもの、江戸時代の「日本では、美濃の辺りでは、いづみといい、東国ではえぢめという」のに似ているといっている。

さらに、「大抵匍匐ありくころまでは肩より足まで布にてくる〳〵と巻おくなり」と光太夫は観察する。これは、現代になってマーガレット・ミード等のアメリカの文化人類学者が、スワドリングと称するロシア人の子どもの育て方として、重要視したものである。そして、このように幼児の手足の自由をうばうから、ロシア人は自由への感覚が欠如して、権威主義になるという一つの解釈を下した。しかし、光太夫によれば、スワドリングの時期は短くて、子どもがはうようになれば、自由なからだの動きをたすけるように仕組んだ枠の中に子どもを入れることを、くわしく描いている。

「小児の脇の下を支ゆるほどに架を造り、……わくの下の方には四隅に機を設け、左右前後自在に転り、児のふり向方にわくの転るようにして、……中にていかようにも足を動かせば、機転じて自然にありくなり。かくすれば格別に早く歩習うという[20]」。子どもの生長に即応した、不自由と自由とのこまやかな推移を、じつによく観察している。

結婚式については、教会でおこなわれるおごそかな式の記述のあと、奇習をのぞき見する趣のある描写がつづく。

婿（むこ）と媳（よめ）と親嘴（しんし）し、手を携えて房（へや）に入る。房の中には媒人（なこうど）の妻待ちうけ居て、媳にあたらしき白布のじゅばんを着替させ、婿と媳の口吸いて房を出る。
翌朝又媒人の妻あたらしき衫（じゅばん）をもち来り、昨夜の衫と着替えさせ、ゆうべの衫をば媳の里へ持ち行きて、よめの母親に見するに、点紅〔ちがっく〕あれば親族（しんるい）を招きあつめて、悦びの宴（さかがり）なす。もし点紅なき時は、即時に新婦（よめ）をよびもどし、母親密（ひそか）にその仔細をたずね、品によりては大きにせっかんを加ゆるとなり。

どうしてこんなことまでのぞき見てきたかについて、つぎのような説明がある。「光太夫等三人は教法〔キリスト教〕をうけざりし故、始終独身なり。されども外国人は制外にて、如何（いか）ようの処に行き、如何様の事を見るとても、さらに制しとがめるものなき故、かかる事をもつぶさに見しとなり(21)」。

外国おそるるにたらず

官制と官吏の俸給について述べたところでは、江戸時代の日本の士農工商の世襲的身分制度との対比をしている。「此邦五穀を産する事 絶（はなはだまれ）少なる故、秩禄（ちぎょう）皆銀（かね）わたりなり。官禄世及（だいだい）ならざる故、高官大禄の人も、官を罷、または死亡すれば、あとは平民なり。故におのおの国益にもなるべき生理〔生業〕をなし、郊外に場を設け、或は舗を開き、それぞれの匠人をかかえ、管家を置て事を執らしむ」。その実例として、ラックスマンは硝子屋を、役人なにがしは鍛冶屋を、またある役人は水車で銅鉄の瓦を造っていることをあげている。そしてさいごに、「右のごとく諸官人大小となく、おのおの生理をなし、民用に便りし、且営利をなす。畢竟新田にても開発すべきをかかる事業にかかる事と見えたり」とのべている。[22]

武士が工人のように物を造ったり、商人のように商売をしたりすることの禁じられていた江戸時代に、武士が公然といとなむことのできた唯一の営利事業として、新田開発があげられていることは興味深い。これは、光太夫自身の、というよりは、桂川の註釈的見解であるかもしれない。しかし、原則的に、世代間でも世代内でも、社会移動のない江戸時代の日本の身分社会と、帝政下ではあっても、世代間でも、また世代内でも、社会移動のあるロシアの社会との構造上の差違を、はっきりととらえたのは、やはり光太夫自身の比較の慧眼であろう。

さいごに、ロシア人の日本観が述べられている。日本は、国体、風教、礼儀、衣服、制度にいたるまで、完全無欠である。にもかかわらず、日本は諸外国を畏怖し、ロシアをもおそれはばかっていると聞くが、これはまったくいわれのないことだ。おそらくこれは、オランダ国と中国とのほかは、通信がなく、他の国のことをしらないから、このようにおそれるのであろうし、おそらくは、オランダや中国が通商を独占するために、他の諸外国のことを中傷しているからにちがいない。「貴国人物、制度の全備、もとより外国の軽侮をうくべからざる事は上にいう所のごとし、足下国に帰るの後、よく此事理をもて、貴国の人々に告知しむべしといいしとぞ」[23]。これは、光太夫らを日本へ送ってきたラックスマン一行が、光太夫らに伝言したことばとして、記されているが、同時にこれが『北槎聞略』の結びのことばでもあることが意味深い。

五　北米合衆国行

鯨を追って——万次郎の冒険

漂流してアメリカに渡った日本人の中で、その漂流記がもっともよく知られているのは、ジョン・マンジロウ（中浜万次郎）と、ジョゼフ・ヒコ（浜田彦蔵）である。彦蔵は万次郎よりも一〇年あとに漂出している。漂出の年齢は、万次郎十四歳、彦蔵十三歳で、いずれも少年であった。両者ともアメリカで教育をうけて成人した。万次郎は一八五二年に帰国した。彦蔵は、アメリカ市民権を獲得し、一八五九年米国総領事タウンゼント・ハリスの通訳官として来日した。一八六〇年二月十三日、第一次遣米使節団が、日米修好通商条約批准書交換のために、アメリカの軍艦に乗ってアメリカへ向けて出発したとき、これに随行した咸臨丸の船上で、万次郎と彦蔵は、ただ一回きりの出会いをしている。彦蔵は、アメリカ領事館付きの通訳として、万次郎は、日本側の通弁主務として[24]。

この二人の北米体験と、日本の開国に果たした役割とを比較することはそれなりにおもしろいのだが、ここでは、万次郎に焦点をしぼる。万次郎は土佐の国足摺岬の中ノ浜という小さな漁村に生まれた。父親は万次郎が八歳の年に死んだ。一八四〇年正月、万次郎は漁師徳右衛門の持ち船にやとわれて、全長わずか二丈五尺（約七・五メートル）ばかりの漁船にのって、乗組員五人で、漁に出た。足摺岬の沖あいで遭難し、無人島に流れついたが、五カ月後にアメリカの捕鯨船ジョン・ホーランド号に救われ、六カ月後にホノルルに入港した。六カ月間の航海のうち、万次郎は大帆柱のてっぺんの見張り籠にのぼって、四方の海を望遠鏡でにらみながら、「潮吹いてるぞ」と鯨のでてきたことをしらせる役目をりっぱに果たした。船長ホイットフィールドは、この少年なかなか見どころがあると気に入り、アメリカにつれてかえって、教育したいと申しでた。万次郎はよろこんで承諾し、ジョン・ホーランド号に乗りくんで、ふたたび航海をつづけた。土佐からいっしょにきた四人の漁夫は、ハワイにのこった。

ジョン・ホーランド号の中で、万次郎はジョン・マンと改名した。鯨をおって、船はグァム―日本沿岸―南洋―マゼラン海峡をとおって、約一年半後に、マサチューセッツ州フェア・ヘイヴンに入港した。ここに船長の自宅があり、万次郎は船長の家に約三年余り世話になった。はじめの一年は塾で英語・習字・数学を教わり、のちの二年五カ月はバーレット校で、高等数学・測量術・航海術を学んだ。

ゆたかな体験とするどい批判

日本に帰国してから一八五五年に幕府に命じられて万次郎が翻訳したボーディッチの『実践航海者』という本は、日本の航海術のために役立ったが、これは万次郎が、バーレット校で学んで以来、邦訳の志をはやくから抱いていたものであった。バーレット校で学ぶかたわら、万次郎は、樽屋に丁稚として住みこみ、樽造りの技術も習いおぼえた。樽は、鯨の脂を貯えておくために、捕鯨船の必需装置なのである。

ホイットフィールドは、敬虔なクリスチャンであったから、万次郎をつれて、自分が属しているオーソドックス教会につれていったところ、「黒んぼまがいの者は同席させるわけにはいかない」といってことわられた。他の宗派の教会にいってもまたことわられ、さいごに自由思想のユニテリアン教会が、よろこんでうけいれてくれた。そこで、ホイットフィールド一家は、万次郎のために、オーソドックス教会を離れて、ユニテリアンになったという逸話がある。(25) このような事件をとおして、万次郎は、ホイットフィールドをますます尊敬するようになると同時に、アメリカにある人種的偏見の強さをも体験した。

一八四六年、万次郎は船長デイヴィスに懇請されて、フランクリン号に乗りくみ、第二回目の大航海にでた。この航海の途中ハワイに寄港したとき、六年ばかり前にハワイで別れた仲間三人と再会し、いっしょに帰国する準備をしようと約束して、ハワイを出航する。マニラに向かうころ、デイヴィス船長が発狂し、下船するという事件がおこった。万次郎は乗組員に推されて副船長となり、一等航海士に昇格した。

アメリカにかえると、万次郎は仲間をつれて日本に帰るお金の工面をするために、カリフォルニアの金鉱に入って働いた。四〇日間飯場(はんば)で寝起きして、砂金掘りをし、手取り銀六〇〇ドルといくつかの銀塊をえた。このお金をもってハワイにゆき、ボートやその他航海に必要な道具などを買いこみ、上海にゆくアメリカの商船サラボイド号に頼みこんで、給料なしで船員として働くという条件で、日本近海までつれていってもらうことにする。結局三人の仲間のうち一人はハワイにとどまることとなり、万次郎は二人をつれて、サラボイド号に乗り組み、琉球の沖あいで下船して、そこから万次郎が用意してきたボートで琉球本島の南端に上陸した。一八五一年一月であった。

琉球では半年ばかり竹矢来をめぐらした農家に監禁された。二人の仲間は、ひたすら謹慎して、家の外に出ようとしなかったが、万次郎はひとり竹矢来をくぐりぬけては土地の人々とつきあい、琉球語を習ったり、また日本のさむらいことばを習ったりしている。八月の十五夜の行事である村人の綱引にも万次郎は仲間入りした[26]。

琉球から鹿児島に送られ、鹿児島では一カ月半留めおかれて、藩主島津斉彬(なりあきら)のじきじきの取り調べをうけ、長崎に送られて、九カ月にわたって長崎奉行の尋問をうけ、一八五二年六月に、やっと故郷の土佐の国にかえった。

万次郎の海外見聞記は、一八五二年から五四年の二年間に筆写本のかたちで出されたものだけでも二四種にのぼるという。ほかに木版刷りが一冊ある[27]。そのうちの一つ、『漂客談奇』によれば、万次郎は大統領制度のことを、つぎのようにのべている。

代々の国王と申す之れ無く、学問才覚之れ有るの者撰び出され、王に相成り、四年にして他人に譲り申し候。政事能く行き届き候う人は衆人の惜しみ申し候故、年積を以て、八年にして譲る筈に御座候由。至って軽き暮し方にて、途中往来には従者唯壱人参り申し候。他人に譲り、隠居致し候ては、在位の時、一日に金銭千二百枚ばかり収納致し候。其の儲けを以て一生安楽に暮し申し候。[28]

将軍に比すべき「国王」（大統領）についてのこの記述には、封建君主への批判がこめられている。勝海舟に招かれて一問一答したとき、「かの国では高い身分、位についた者は、いよいよ賢く考え、ふるまいはいよいよ高尚になります。この点、日本とは天と地のちがいがありましょう」とずばり答えた。[29]

万次郎は、フランクリン号での航海中、他のアメリカの捕鯨船の船長たちから、外国船が沿岸に近づくと、見さかいなく打ち払う日本の鎖国政策への非難をしばしば耳にした。そうしたことから万次郎は、「捕鯨船のために、日本の海岸に平和な補給地がほしい」という意見を、早くからもっていた。[30]おそらくこうした考えを、万次郎は帰国後、心ある人々に開陳していたにちがいない。一八五三年第一回目の黒船来航のさわぎの中で、大槻磐渓は、林大学頭に意見書を出し、その中で、万次郎の意見にふれている。万次郎の話によれば、アメリカ人は、捕鯨船に薪水などの補給をするような港をもとめているのだから、日本の適当な港をきめて、そこで補給ができるようにしてやればよいではないかというのである。[31]

好奇心あふれるパイオニアとして

故郷に帰った万次郎は、土佐の藩主山内容堂によって、士分にとりたてられ、高知の教授館で、英語を教えたり、海外事情を講じたりした。岩崎弥太郎、坂本龍馬、後藤象二郎らも、万次郎の教えをうけた。また、一八五四年、ペリーが二度目に浦賀にあらわれたとき、吉田松陰が金子重之輔とともに、アメリカの軍艦に小舟で漕ぎよせて、密航しようとしたのも、万次郎の漂流からヒントをえたものだという。[32]

万次郎は幕府の御普請役(ふしん)に任ぜられ、さらに伊豆韮山の代官江川太郎左衛門の手付（秘書）になって、西洋帆船の操縦術を水夫をあつめて訓練した。一八五七年、幕府の講武所の軍艦教授所（のちに軍艦操練所となる）の教授方に任ぜられた。また万次郎が幕府に提案していた捕鯨事業所ができると、船員の養成や捕鯨訓練の役目もひきうけた。

一八五四年、アメリカと通商条約を結ぶ外交の衝にあたったのは、江川太郎左衛門であった。江川は蘭学の通詞では不便なので、万次郎を通訳として交渉の席につれてゆきたいと願い出たが、幕府は許さなかった。幕府のタカ派のあいだでは、万次郎に対する警戒心が強かった。アメリカの事情をよく知っており、アメリカ人が多いので、アメリカに有利に働くかもしれないという危惧があったために、万次郎は通訳からはずされたのである。

咸臨丸では幕府の通訳として渡米し、帰国後軍艦操練所の教授方を罷免された。そののち土佐の藩校の開成館で、英語・航海術・測量術などを教え、明治維新後は、一八六九年に新設された開成学校（東京帝国大学の前身）の教授になったが、病を得て職を辞した。恩給もなく、晩年は医師であった長男の家にひっそりとくらした。これだけ開国の舞台裏で貢献した人に対して、国はなんの報いるところもなかったのである。

著書には、ボーディッチの航海書の翻訳のほかに、『英米対話捷径（しょうけい）』がある。万次郎をよく知るアメリカ人デーマン牧師は、「かれは英語の知識を獲得した最初の日本人であった」[33]といっている。少年万次郎は日本を出たとき、「漢字や漢語をろくに知って」いなかった。「そんな邪魔がないばかりに」、アメリカの船に救われたときに、「船内の人々の話し方をどんどん吸収して」いったのだろうと、万次郎の孫の中浜明は書いている[34]。万次郎が北米合衆国で学校にいって勉強したのは、わずか二年五カ月である。その他の技術や学識や見識とともに、かれが身につけた語学力は、かれが出会ったさまざまの職業の人たちとの交流と、労働生活の中から学んだところが大きい。そのことはまた、万次郎のさかんな好奇心に由来するものでもあろう。

六　還らなかった漂民

異境の地でひそかに生きる

中浜明は、還ってきた漂流者は、「万死に一生を得た者」[35]だ、といっている。還らなかった漂民の大半は、海で生命をおとしたか、または、上陸して殺されたり、病死したりした。しかし、幸いに生きながらえて、しかも、帰国の意志をもちながら、帰国できなかったものがいたであろうし、また、進んで外国にふみとどまったものも、あったにちがいない。生きながらえて、しかも還らなかった人たちは、外国でなにをしたのであろうか。散見される断片的な記録をひろってみると、つぎの三つの生き方がうかがえる。これら三つの生き方は、それぞれが独立しているわけではなく、同一人物が三つの生き方を兼ねあわせていることもある。

第一は、漂着先の社会の中にとけこんで、職業をもち、その社会のメンバーとして、目立たないが平穏な半生をおくった人たちである。目立った活動をしなかったために、記録にはのこらなかったが、このような生き方をした人たちは、意外に多かったのではないか。たとえば、万次郎とともに漂流し、みずからの意志でハワイに留まった寅右衛門は、ハワイの女性と結婚し、ハワイで大工を見習い、大工の仕事で生活をたてた。

南方熊楠（みなかたくまぐす）は、諸外国を遍歴した足芸師の美津田滝次郎からきいた話を記している。美津田が一八七五年十二月にペルーにいたとき、平田某次郎という七十歳ばかりの老人と、その甥の三十歳ほどの男にであった。平田老人は、それより一九年ほど前というから、一八五六年に、兵庫の海で風に流され、三一人の乗組員のうち三人が死に、残りはすべて無事にペルーに漂流したという。その後この地でみんな死んで、老人と甥だけが生き残った。老人はスペイン人を妻とし、もとは手工業をもって暮らしをたてていたが、今は政府の年金で暮らしている。甥は「かなり奇麗なる古着商」をいとなんでいた。美津田は日本に帰ることを勧めたが、老人は、「われらすでに牛肉を食いたれば、身穢（けが）れたり。日本に帰るべきにあらず」といったとか。老人には「健全長寿の相」があったと伝えている。(36)

このほか、川合彦充は、バタン島に住みついた尾張の国の五郎蔵、リマで大工になった尾張の内海（うつみ）の伊助、寧波（ニンポー）のイギリス役所で働いていた尾張の岩吉などの例をあげている。(37)

せめては漂流民のために

第二は、自分は日本に帰ることを断念したが、自分とおなじような境遇の日本からの漂民たちをたすけて、日本に送り還すために尽力した人たちである。

尾張の国の乙吉は、一八三二年に遭難し、一四カ月漂流の末一八三四年カナダのブリティッシュ・コロンビア州に漂着した。一八三七年、モリソン号に乗って浦賀に入港したが、日本側の発砲のため帰国を断念した。一八五〇年、彦蔵とともに漂流した摂津の国の栄力丸の乗組員たち（一七名）のうち、彦蔵らアメリカに渡ったものをのぞく一二名は、日本に帰る途中、上海で乙吉の世話になった。その時乙吉からきいた話によれば、「十五、六歳の時漂流して、父母へ一つの孝養も得せず、父母の歎きはいかばかりならんと、朝夕これを思うより、せめては国の漂流人を世話して、国に帰らしなば、或は父母の冥福にもならんかと思うばかりに、紀州善助[38]以来漂流人を帰すこと六度也と語りぬ」という[39]。

さまざまの漂流記を読んでいると、思わぬところで、日本人漂民どうしが出あいをして、お互いに帰国のために情報を交換したり、便宜を提供しあったりしている。このときに、とくに力になるのは、現地で結婚し、職をもって生活し、その土地のことばのできる、乙吉のような人物である。そのような人々が、国交がなく、自己の属する国家の保護のまったくおよばない場所で、日本人民相互の連帯の環のむすび目として活躍していたことがわかる。

初代日本語教師

第三は、漂着した先の社会に対して、文化的に役に立つ仕事をした人々である。主として、ことばの関係が多い。漂着先の国のことばと、日本語とを取りつぐ役割である。

大坂の商人伝兵衛は、大坂から江戸に向かう途中漂流して北千島に漂着した。一六九七年、シベリアの南端でロシアの探検隊に発見された。伝兵衛はモスクワへ送られ、一七〇二年、ピョートル大帝に謁見した。日本についての伝兵衛の話は、ピョートル大帝の日本に対する関心を刺戟し、大帝は日本語学校を作ることを決心し、伝兵衛を初代日本語教師に任命した。その後一七一〇年にはサニマと呼ばれる日本人がカムチャッカに漂着し、一七一四年ペテルスブルグに送られて、日本語学校で、伝兵衛の助手をした。一七二九年には、薩摩の人ソーザとゴンザがおなじくカムチャッカに漂着し、日本語学校の教師となった。一七四五年には、下北半島の佐井を出航した船が千島に漂着した。乗組員のうち五人がソーザとゴンザの後任として、ペテルスブルグの日本語学校の教師となった。一七九一年、大黒屋光太夫とともにカムチャッカに漂着した神昌丸の乗組員のうち、新蔵と庄蔵がイルクーツクの日本語教師に任命された。

このように、伝兵衛に始まるロシアの日本語学校の教育は、漂民によって、うけつがれていった[40]。

このうち新蔵は、『日本および日本貿易について、また日本列島の最新な歴史的・地理的記述』というロシア語の著書をあらわし、一八一七年に出版された。「これは日本人が書いた最初の欧文刊行書であろう」といわれる[41]。

伝兵衛はロシア正教の洗礼を受け、ロシアの市民権を得た[42]。新蔵と庄蔵も、ロシア正教に入信した。

国家権力からはじき出された好奇心

日本へ還ってきた漂民たちは、見聞し、生活してきた外国の事情やことばを、日本人に取りつぎ、還らなかった漂民たちは、漂着先の外国に、日本の事情やことばを取りついだ。かれらは、鎖国以前の朱印船や、はじめての遣欧使節や、鎖国後はじめての遣米使節のように、国家の権力によって企図され、支持されて外国にいったわけではない。アメリカ大陸を発見したコロンブス、インド航路を開拓したバスコ・ダ・ガマ、世界一周したマジェラン等のように、国王によって奨励され援助されて探検の途にのぼったわけではない。まったく逆に、意図せずに国禁を犯して外国にたどりつき、自力によって行く先々で生活をたて、それぞれの国の民衆とむすびつき、帰還の道を作ったり、または、外国に定着する方法をさがしだしたりした。幸運なめぐりあわせで、外国人の知遇をえたものはあったが、それも本人の努力と才能と人間的魅力とによって獲得した友情であった。そして、そのうちの少数のものが、艱難辛苦のあげくに帰国したとき、国家はかれらを罪人として詮議した。なかには、せっかく日本にかえってきながら、牢屋で自殺したものもある[43]。光太夫、磯吉、万次郎のように、士分にとりたてられたものもあったが、それも二人扶持から四人扶持ほどの低い身分であった。多くの帰還漂民たちは、そのような待遇もうけず、また、みだりに外国の見聞を人に語ってはならないという箝口令をしかれ、職業と行動の自由を束縛された。万次郎のように、幕末開国に貢献したものでも、晩年は不遇であった。

　コロンブスや、バスコ・ダ・ガマや、マジェランや、キャプテン・クックなどのような外国の探検者たちをつき動かした動機の中には、新しい経験への好奇心もあったであろう。また、日本の漂民たちが、漂着した国々の風俗や事物を生彩をもってとらえたのは、新しい経験への好奇心につき動かされたためだといえる。しかし、前者の場合は、国家権力の後楯をもち、保護され、方向づけられた好奇心であった。後者の場合は、国家権力からはじき出された好奇心である。前者の好奇心は、やがて、植民地主義と侵略とにむすびついた。そして後者の好奇心は、国家の鎖国政策を変えてゆく一つの地下水の役割を果たした。しかし、明治開国以後の日本では、外へ向かう好奇心は、ふたたび国家によって、支持され奨励されるようになった。国家のスポンサーつきの好奇心は、植民地主義と侵略とにむすびつく危険をはらんでいる。鎖国下の漂民の好奇心から学ぶものがあるとすれば、それは、まず第一に国家から禁じられていた好奇心であり、したがって、国家のスポンサーをえることがなかったことである。また、漂流していった先がどこの国であろうと、また、日本国家の当面の政策（当時でいえばキリシタン禁制）にそったものであろうとなかろうと、無差別になんでもみてやろうの精神をもってのぞんだことである。こういう人物とつきあってはいけないとか、こういう団体と接触してはいけないなどということにおかまいなく、どんな人とでもつきあい、どんな集団の中にも入っていったことである。そして、まったく逆説的に、鎖国の息子であった漂流民たちの見聞が、鎖国を打ち破る世論形成の一つの導火線となった。こうしたことを考えると、漂流は、すぎてしまった過去のことを穿鑿する好事家の、無用な好奇心とばかりはきめつけられない。それは、現代に対する、一つの突破口を示唆している。

三輪公忠は、「コロンブス型の人間」と、「小田実型の人間」とを分類した。コロンブス型とは、「たとえ新世界を発見したとしても、その内容については新しいことを学ぶことのできないような、既成の概念によってのみ事物を認識するタイプの人間」と定義する。これに対して、小田実型は、偏見や固定観念をもたずに、あらゆる事物に好奇心をもち、開かれた心で、新しい事物をうけいれ、自己形成してゆく人間である。三輪は、この二つのタイプが、日本人の中にもあることを指摘する。たとえば松岡洋右（ようすけ）はコロンブス型に属するという。さらに、コロンブス型が、しばしば「心狭いナショナリズム」と帝国主義的海外発展にむすびつきやすい危険を警告し、小田実型の「心開かれた国際人」への道をこれからの日本が歩むべきことを、提唱している。好奇心を、国際関係史にむすびつけた議論としておもしろい[44]。

七　戦争責任への一つのとりくみ方

エピソオド

わたしは、一九四八年の終わりに発表された、加藤道夫の「エピソオド[45]」を読んだときの、鮮烈なショックを忘れることができない。まだジャーナリズムでも、思想界でも、戦争責任論があらわれていない時に、いちはやくそのことを、どきりとするようなかたちでさしだしたのが「エピソオド」であった。

時は「一九四五年八月二十日」、場所は「南海の果てのヤペロ島と称するパプア族の住む島」である。日本が無条件降服したという伝単を小島上等兵から見せられても、倉田師団長は信じない。かれは二年前に、かれの指揮する軍艦が沈んで、この南の島に、一一名の手兵とともに漂着したのである。そして、「不死身の男」としてこの島の原住民たちの尊敬をあつめていた、ピイネルピイという精悍な若者を何の理由もなく、斬り殺した。そして、いあわせた藤野参謀長とともに、ピイネルピイについてやってきた八人のパプア人をも殺してしまった。「ウワレ・オポック」「ワキル・ピイネルピイ・ゴナウェッ」というパプア人たちの声が、ジャングルの奥からひびいてくる。

小島上等兵は、これは原住民が、「戦争は終わった！　不死身の男ピイネルピイが帰って来た」と叫んでいるのだと参謀長に教えてやる。（実はこのとき、小島はまちがっていたのである。あとで小島は訂正するのだが、これは、「戦争は終わったぞ、不死身の男ピイネルピイよ帰って来い！」といっているのだった。パプア族は、死者はいったん土の中へとけこんでゆき、何年か後に、マンブルウやサグウに生まれ変わってこの世に再来することを、信じているのであった。）

倉田師団長はかれがピイネルピイを殺したことをパプア人が怨んで、復讐にやってくるのだと思いこむ。そこで、小島上等兵に偵察してくるように命じると、小島は、「土人語はやさしいであります。……土人の方から傍へ寄って来るであります。……色んなものを呉れるでありますと」といって、大はしゃぎですっとんでいってしまう。倉田にはわからない。小島がどうして、野蛮な「食人種」をこわがらないばかりか、仲よくさえしているのかということが。倉田は、ますますおそろしくなって、藤野参謀長も、谷村副官も、側近をみんな偵察に出してしまう。そして、自分はひとりで威厳をとりつくろい、椅子に「毅然」と坐っている。そこへスコール（大驟雨）がやってきて、幻想の場面となる。

死んでしまったはずのピイネルピイが、マンブルウの樹のうえにあらわれる。殺されたはずの八人のパプア族たちも。倉田がピイネルピイに斬りつけると、ピイネルピイはマンブルウの樹の幹になってしまう。そしてふたたびあらわれて、なぜ自分たちが殺されたのかわからない、倉田を酋長だと思いこんで、「こんにちは」と挨拶にやってきたのに、という。倉田はおそれのために口もきけず亡霊たちの前にひざまずく。そうすると、ピイネルピイは、いう。「おまえはいえない。……けれどおまえはいっている。……『ドロ・モチ・ドロ・モモ……』……『ゆるしてくれ、ゆるしてくれ……』」と。亡霊たちの姿が消えると、はじめて倉田は正気づき、声が出る。そして、「ゆるしてくれ、ゆるしてくれ」といって、マンブルウの樹を見上げるが、もうなにもいない。部下たちがかえってきて、師団長がスコールにうたれ、マラリアの再発で高熱を発しているのを見てとり、師団長の軍服を脱がせて裸にする。

ふたたび亡霊たちがあらわれて、「こんにちは」と倉田によびかけるが、そばにいる部下たちにはきこえない。

「儂(おれ)はこれまでにどれだけの人間を殺して来たか分らない。……何千人、何万人という罪もない人間達を。……日本人、シナ人、朝鮮人、……パプア人。……おお儂は何と言う恐しい、むごいことをして来たのじゃ。何と言う罪深いことを……ゆるして呉れ」。倉田はひれ伏して慟哭する。そうして、パプア族が死者の霊を祝福するトラモワの祭をするという夜に、「儂は行かにゃならん。……儂は行ってやらにゃならん。儂は、これまでに、一度として、奴等のところに行ってやったことはなかった……。儂は、ミタロの神の裁きを受けに行くんじゃ……儂は罰を受けにゃならん……」といいながら、まっぱだかの姿で、密林の中にひとり入ってゆく。

通訳の声で、エピローグがついている。オランダ軍がこの島に進駐してから、倉田と藤野は土民虐殺のために戦犯として捕えられたが、倉田だけは精神異常の理由で、釈放された。しかし倉田は、部下たちとともに復員することを拒み、パプア族の中へ消えていった。

「閣下はミタロの神に取り憑かれてしまったのであります。〈土〉の神が彼の全精神を占めてしまったのであります。彼は、やがて、土人たちと起居を共にし、日常の諸動作に至るまで、まるで土人そのものの様になって行きました。〈故国〉は彼の脳裡から消え去ってしまったのであります」。他方藤野は、戦犯裁判で裁かれるため、オランダ官憲によって、どこかへ護送されて、ゆくえはわからなくなってしまった。[46]

国家を越える原始の思想

この戯曲をはじめて読んだ時にはわからなかったことに、今また読み直してみて気が付く。漂流とシャマニズムと好奇心という、この本のテーマが、すべてこの芝居の筋のはこびの中に伏線として、あるいはクライマックスとしてあり、それらがすべて、戦争責任へのとりくみ方という、この芝居の主要テーマにむすびついていることである。

第一に、戦争中の原住民に対する師団長と上等兵との態度のちがいである。上等兵やその他の守備隊のひらの兵士たちは、島に漂着するや、パプア族とつきあって、そのことばを習ったり、ごちそうによばれたりして、原住民に対するさかんな好奇心を発揮する。ところが、師団長は、土人は野蛮で人を食うものだからと思いこんで、まったく関心を示さない。ところが敗戦によって、国家の威光がはがれたとき、かれは軍服をぬぎ、はじめてはだかの人間になる。

その時、はじめて原住民への強烈な好奇心がかれの身内に燃え上がる。そして、この生き生きした好奇心をとおして、相手の気持を知るようになり、自分の偏見を認め、自分の犯した罪をはじめて自覚する。好奇心の発現が、贖罪への通路になっている。

第二に、倉田がひとりのこされて、スコールにたたかれながら、ピイネルピイらの亡霊を見るシーンは、シャマニズムのイニシエーションに類似する脱魂、忘我の状態である。堀一郎が、「回心の基本構造」とよぶものである。

……呪的カリスマとしてのシャーマンは、生得的な異常体質の持ち主であるが、それが個人的社会的危機意識を一般の俗人以上に鋭敏かつ深刻に感じとり、外見的には精神違和に陥る。もしくは俗的な意識喪失状態に陥る。そしてこの場合、神または精霊による召命、選びをうけるが、そこに呪的灼熱感、呪的飛翔、他界遍歴を含む神秘体験を経、俗人として死に、聖界の専門家として再生するのである。(47)

幻覚のあらわれた恍惚境をとおして、大日本帝国軍人は死に、ふつうの人間として生まれ変わる。死は、過去の自分の戦争犯罪の自覚と、残虐行為をおこなった自己の否定である。生まれ変わりとは、自分が害を加えた相手の集団との自己同一化である。倉田は、原始心性の通路をとおして、戦争への責任を自発的にとる道を発見したのである。

第三に、この芝居のなかには、戦争に勝った国が、戦争に敗けた国を裁くという、連合国によって主宰された戦争裁判方式への批判がこめられている。連合国による戦争裁判によって、獄刑死した一〇六八名のうち、七〇一名が遺書をのこした。[48] そのうちの大多数は、B・C級戦犯である。B級とは、「通例の戦争法規又は慣行に違反した罪」である。C級とは、「人道に対する罪」であって、戦前から戦中にかけて、民衆を殺戮したり、殲滅したり、虐待したりした罪である。七〇一名の遺書によってわたしが調べたところでは、かれらが告発されたこれらの罪に対して、「有罪」をみとめたものは、わずかに一五名、総数の二・一パーセントしかなかった。[49] 連合国のおこなった軍事裁判が、旧日本軍人の中に、戦争犯罪への自覚を、いかによびおこさなかったか、ということのあかしである。戦勝国による戦犯裁判には、戦争とおなじように、力の原理が働いていたからである。

パプア族は、軍事法廷をひらかなかった。復讐もしなかった。しかし、ゆるしと、無限抱擁の原理によって、あきらかに戦犯である倉田をつつみこみ、かえって、倉田自身が、自発的に、かれらのゆるしをこい、そして自己変革をおこなうきっかけを作ったのである。原始の思想が、いわゆる「文明」の原理よりも、すぐれて自発的な自己改造の媒介たりうることを、この芝居は語りかけてくる。

そしてさいごに、倉田の指揮する軍艦が沈没したとき、倉田がヤペロ島に漂着することを全力をふりしぼって助けたといわれる船乗り出身の守山によれば、倉田は、「まるで土人そのもののようになって、故国は彼の脳裡からまったく消え去ってしまった」のである。江戸時代に、還らなかった漂民たちが、漂着した先の社会の中にとけこんで、その社会の完全なひとりとなったのと、共通している。かれらは、意図せずして、国境を越えたのである。そして、パプア族のひとりとなった元大日本帝国軍人倉田は、国家をも越えたということができる。

「エピソオド」というこの作品は、作者の加藤道夫の詩的想像力から生みだされたものであろう。作者は、これに似た実例をきいて、あるいは調べて、書いたのではないだろう。しかし、おそらく、今から考えると、これに似た事件は、かなりの数にのぼったのではなかろうか。江戸時代に漂流して、還ってこなかった漂民の記録がないのとおなじように、十五年戦争中に、日本が侵略し、占領したアジアの諸地域に、敗戦後もとどまり、自発的に、その社会のひとりとなってしまった人々の記録を、わたしたちは、ごくわずかしか知らない。

たとえば、一九三二年にジャワに渡り、一九四一年には日本海軍武官府のスパイとしてインドネシアに潜入し、情報活動をしていた吉住留五郎は、敗戦の時に日本に帰らず、スカルノ、ハッタ、タン・マラカ、スパルジョらとともに、インドネシア独立運動に参加し、オランダ軍進駐後、対オランダ軍ゲリラ戦の最中に、山中で血を吐いて死んだ(50)。

「エピソオド」の倉田は、詩的想像力の所産であり、吉住留五郎は実在の人物であるが、一種のシャマン的性格の持ち主だと思われる。いずれにしても、異常なできごとである。しかし、これらの虚構の、あるいは実在の人物が象徴する戦争責任へのとりくみ方は、今日のわたしたちが、中国との平和条約をむすび、国交を回復するうえに、大切な示唆を与える。また、これまで日本が植民地にしたり、侵略したり、占領したりしてきたその他のアジア地域に対して、これからの新しい関係の出発点で、わたしたちが考え直さなければならないことを、明確に指し示している。

八　国境を越える原動力

漂流は、鎖国下の日本において、日本の庶民による、意図せざる国境越えであり、したがって、国禁破りであった。幸いにして生きて外国に漂着した人々は、はじめて見る外国の民俗や社会制度や風物を、すぐれた好奇心をもって見とどけた。そして、そのうちのことさら幸運にめぐりあわせた人々は、打ち首、もしくは禁錮を覚悟のうえで、日本に帰還し、外国の事情を、日本の指導者にもたらした。「極秘」の烙印をおされたそれらの見聞記は、おなじように旺盛な好奇心をもった日本の庶民のあいだに、地下水が大地にしみこむように、しみわたった。そして、開国への世論の形成に役立ち、やがて開国への道を開き、国内では、すくなくとも理想型としてのとざされた階級社会を打ち破ることに貢献した。

今日の日本は、江戸時代の鎖国とはくらべものにならないほど、外国に対して、開かれている。しかし、完全な開国とはまだいえない。中国をはじめとして、国交のない国がある。また、今日の日本は、外国人の入国を制限しているだけでなく、在日外国人が、その故国を訪れた際に、再び日本に帰ってこられないような、法律上の制限をしている。在日外国人が、母国語を学び、母国の歴史を学ぶために、母国語の学校を設けることに、法律上の制限をしている。そのうえさらに、日本国憲法に明記されている、言論、集会、結社の自由を、在日外国人に対してこれまでよりもいっそうきびしく取り締まる法律を作ろうという動きがある。そうした理由で、今日の日本は、完全な開国の状態にあるとはいえない。したがって、鎖国下の江戸時代の漂民たちの外国への差別のない好奇心が、開国の世論づくりにむかって果たした役割は、半鎖国下の今日の日本でも、完全な開国への世論づくりのために、大切だとわたしは考える。

　江戸時代の鎖国下の日本の漂民たちが示した外国の事物への好奇心は、敗戦後の半鎖国下の日本でも、受けつがれ、生きている。たとえば、小田実の『なんでも見てやろう[51]』は、その一例である。わたしは、日本人が、持ち前の好奇心を発揮し、どんな国へも、どんな場所へも、どしどしいって、どんな人とでもつきあって、「なんでも見て」きて、聞いてきて、日本人に知らせることを、すすめたい。それは、ある外国人を、不当に差別したり、ある外国に不当に偏見をもってのぞんだりする、日本の国の政策を、変えてゆくことに寄与するだろう。わたしたちは、好奇心の衰えをこそ、警戒しなければならないのだ。

　そしてさらに、日本人が、外国へ流出していって、その社会のひとりとして生き、そしてできればその国の人民にとって、役に立つ仕事をしたいと思うならば、むしろ奨励すべきである。逆に、もし外国人が、日本にきて暮らし、日本人になりたいというならば、自由に許可するように法律を作りかえるよう、世論を作りたい。日本人が外国の市民権をえらび、外国人が日本の市民権をえらぶ権利を、法律的に保障することが、完全な開国の一つの条件だと思う。そのような開国へ向かって、古代から現代にいたるまで、日本人が発現してきた好奇心は、役に立つであろう。

日本人の好奇心は、日本社会の多重構造によって、触発され、保存され、強化されてきたというのが、わたしの出発点における仮説であった。そして今、好奇心は、多重構造社会につきものの、切り離し、使い分けによる差別の構造を、根底からつき破ってゆく原動力にすることができるという、希望的観測にたどりついた。

わたしたちは、これからも、自信をもって、あらゆる社会の、あらゆるひとびとと、あらゆることがらに向かって、好奇心を燃やしつづけたいと思う。

注

(1) 大久保利謙・児玉幸多・箭内健次・井上光貞共編『史料による日本の歩み——近世編』吉川弘文館、一九五八年、一二八頁による。

(2) 石井謙治「伊達政宗の遣欧使節船の船型などについて」、『海軍史研究』第八号、松田毅一『慶長使節』新人物往来社、一九六六年、二三五—六頁による。

(3) 松田、前掲、二三六—七頁。

(4) 坂ノ上信夫『御朱印船の人々』、奥村正二『火縄銃から黒船まで』岩波新書、一九七〇年、九五頁から引用。

(5) 松田、前掲、二四七頁。

(6) 奥村、前掲、九六頁。

(7) 石井謙治「註記　漂流船覚え書」、池田晧編『日本庶民生活史料集成　第五巻　漂流』（以下『漂流』と記す）三一書房、一九六八年、八六九―八四頁。
(8) 池田晧「序」、同右、一二頁。
(9) 倉嶋厚「註記　気象学からみた漂流記」、同右、八六四―七頁。
(10) 鶴見俊輔編『日本の百年10　御一新の嵐』筑摩書房、一九六七年、三一―四頁。
(11) 川合彦充『日本人漂流記』現代教養文庫、社会思想社、一九八七年、三三〇―八五頁。
(12) 同右、一〇九―五五頁参照。
(13) 筆者不詳「越前船漂流記」、『漂流』前掲、五六一―九頁。
(14) 大槻清崇（磐渓）「呂宋国漂流記」、同右、五七一―八〇頁。
(15) 憂天生（古賀謹一郎）「蕃談」、同右、二三九、二九三、三〇一頁。
(16) 中村喜和「註記　ロシアの東方進出と日本の漂流民」、同右、八五九―六〇頁。
(17) 桂川甫周「北槎聞略」、同右、七三六頁。
(18) 同右、八〇一頁、鶴見俊輔、前掲、一二頁。
(19) 川合、前掲、三四五―六頁。
(20) 桂川、前掲、七五九頁。
(21) 同右、七六一頁。
(22) 同右、七六三頁。
(23) 同右、八〇四頁。

大黒屋光太夫については、亀井高孝『大黒屋光太夫』（吉川弘文館、一九六四年）および『光太夫の悲恋』（同上、一九六七年）の名著がある。
(24) 中浜明『中浜万次郎の生涯』冨山房、一九七〇年、二〇一―五頁。浜田彦蔵著、中川務・山口修訳『アメリカ彦蔵自伝1』平凡社東洋文庫、一九六四年、二〇四頁。
(25) 中浜明、前掲、六〇―二頁。
(26) 同右、一三一―五頁。
(27) 同右、一六九―七一頁。
(28) 吉田正誉「東洋漂客談奇」、『漂流』前掲、六〇七頁。
(29) 中浜明、前掲、一四八頁。
(30) 同右、七七頁。
(31) 同右、一六四―六頁。
(32) 同右、一八〇―五頁。
(33) 同右、二八七頁。
(34) 同右、四八―九頁。
(35) 同右、一八一頁。
(36) 南方熊楠「ペルー国に漂流せる日本人」、『南方熊楠全集二』平凡社、一九七一年、一三七―八頁。
(37) 川合、前掲、二五〇―三頁。
(38) 岩崎俊章「東航紀聞」、『漂流』前掲、三〇五―四四〇頁参照。
(39) 奥田昌忠「長瀬村人漂流談」、同右、六七六頁。
(40) 中村、前掲、八五九―六〇頁。

(41) 川合、前掲、二五四頁。
(42) 伝兵衛については、鶴見俊輔、前掲、五―八頁にも記載がある。
(43) 石井研堂『異国漂流譚集』よりの引用。鶴見俊輔、同右、一三頁による。
(44) 三輪公忠「海洋的人間の国際感覚」、『望星』一九七二年一月号、四〇―六頁。
(45) 加藤道夫「挿話」(エピソオド)、『悲劇喜劇』第五集(十一月号)、『加藤道夫全集』新潮社、一九五五年に所収。
(46) 同右、一五八―二〇三頁。
(47) 堀一郎『日本のシャーマニズム』講談社現代新書、一九七一年、六九頁。
(48) 巣鴨遺書編纂会『世紀の遺書』一九五三年。
(49) 鶴見和子「極東国際軍事裁判――旧日本軍人の非転向と転向」、『思想』一九六八年八月号、一七頁(『曼荼羅』第Ⅲ巻所収「死者の声――旧日本軍人の非転向と転向」)。
(50) 木山一男「吉住留五郎」、『思想の科学』一九五四年五月号、五九―六八頁、および、石川真「スカルノが惚れた日本人」、『文藝春秋』一九七一年十二月号、二四六―五四頁参照。インドネシアの独立軍をたすけ、現在もインドネシアに在住する柳川宗成は、『陸軍諜報員柳川中尉』(サンケイ新聞出版局、一九六七年)を書いた。また、インド国民軍を援助した藤原岩市については、ジョイス・C・リーブラ著、堀江芳孝訳『チャンドラ・ボースと日本』(原書房、一九六八年)がある。
(51) 小田実『なんでも見てやろう』河出書房、一九六二年。

あとがき

近代化の主体的条件を考えるとき、きまって、マックス・ウェーバーの『プロテスタンティズムの倫理と資本主義の精神』の定式が、どこの社会にもあてはまるものとしてひきあいに出される。日本の場合、勤勉と節約はたしかにあてはまるが、個人主義よりも集団主義が、目的志向としては強かった。そこで、個人主義が確立しなければ、日本は「ほんとうの」近代にはなれない、そして個人主義を確立するためには、プロテスタント・キリスト教をもっと広くゆきわたらせなければいけない、などという議論が今でも根強くある。わたしは、これは、明治の欧化主義のなごりなのではないか、と思っている。どうしたら、そこから抜け出せるのか。

三年前の夏に、上智大学で外国人向けの夏期講座で、比較社会学の講義をしていたとき、この問題を考え直してみようと思っていた。そういう矢先のある夜、鶴見俊輔と雑談していたら、俊輔が、こういうことを話してくれた。桑原武夫さんが、日本人は世界中の他の民族とくらべて、もっとも好奇心が強い。この日本人の好奇心が、近代化の推進力であった。しかし、日本人がなぜこのように好奇心が強いのか、まだ解き明かされていない、というような話であった。

この話に刺戟されて、日本の近代化の主体的条件の一つとして、好奇心について考えてみようと思いたったのである。そして、ぼつぼつ、自分で調べたことや考えたことなどを、英語や、日本語で、しゃべった。

一九七〇年二月二十七日、芳賀徹さんが招(よ)んでくださって、東大教養学部の研究室の小さなグループで、『近代化』と『好奇心』という話をした。そのあとで、お集まりくださった先生や学生の方々から、質問や批判がでて、たいへん参考になり、ありがたかった。その時、講談社の田代忠之さんがきておられた。そしてこの話を、現代新書の一冊にまとめるようにと熱心にすすめてくださった。わたしは、これを一冊の本にすることは、思ってもいなかったので、正直にいって驚いたが、心が動いた。

この本は、まず第一に、桑原武夫さんの独創的な発想からヒントをえて、わたしなりの考えで書いたものである。第二に、桑原さんの考えを、わたしに教えてくれたのは、鶴見俊輔である。俊輔は、わたしが、この本を書いている期間、ときどきあうごとに、有益なさまざまの示唆を与えてくれた。

第三に、「好奇心」というテーマに、絶大な好奇心を示し、ポール・アザールの『ヨーロッパの精神――一六八〇年―一七一五年』を読むことを勧めてくださったのは、芳賀徹さんである。

第四に、上智大学の国際関係研究所の「近代化論再検討研究会」のメンバー、とりわけて山田慶兒さんと市井三郎さんが、好奇心についてのわたしの話に対して出してくださった意見は、その後の考えをすすめるうえで、たいへん役に立った。

第五に、中国の異類婚姻譚の資料については、飯倉照平さんに御教示いただいた。

上智大学のわたしの演習のメンバーに、津田和男さんという学生がいる。かれは卒論に、「卒業譚」という副題をつけた。自分の書いたものは、社会学の学術論文ではなくて、むしろものがたりに近いのだと強調したかったのであろう。また、社会学の論文は、ものがたりのかたちで、書くことができるという可能性を示したかったのであろう。アカデミー主義の学問に対する一つの批判の姿勢として。わたしのこの本は、学術論文というよりも、おはなしというほうが、心にかなう。津田さんがめざすものがたり、というところまではいかないにしても。

さいごに、最初からこれを一冊の本にするように、わたしの話の要約まで作って提案し、ぐずぐずしていたわたしを、忍耐強く励まし、資料の入手などでも惜しみなく協力してくださったのは、田代忠之さんである。

これらすべての方々に、心からお礼を申しあげる。ただしこの本の中に書かれていることがらは、すべてわたし自身の責任に帰する。そして、ここにはお名前をあげていない方々にお世話になったことをも、あわせて深く感謝したい。

本文での引用や参照は、すべて著者の敬称をはぶいたことを、おことわりしておく。

一九七二年三月五日

鶴見和子

や 行

ら 行

わ 行

な 行

は 行

ま 行

さ 行

た 行

人名索引

「鶴見和子『好奇心と日本人』に寄せて」と本文
から人名を採り，姓名の五十音順で配列した。

編集部付記

鶴見和子さんは終生、内発的な好奇心の発露を大事にされていました。本書は、学者として充実期に入った五十代に、「好奇心」を手がかりとして、日本社会の構造分析と社会変動論との両面に取り組んだもので、鶴見さんご自身の関心のありかがよく表われた仕事と言えます。

鶴見さんは、活躍期間の長さに比して、書き下ろしの単行本が少ない方ですが、その数少ない書き下ろし書籍のひとつが本書です。小社で刊行した著作集『コレクション鶴見和子曼荼羅』(全九巻・別巻一)の第Ⅲ巻(一九九八年刊)にも収録しましたが、二〇一七年、鶴見さんの命日の集い「山百合忌」において、本書の成立のころの鶴見さんについて、芳賀徹さんに貴重なお話を語っていただくことができました。

本書で扱われる話題のなかには、初版(一九七二年)当時の時代状況に即したものも多々ありますが、日本社会の構造とその変化の可能性を探ろうとする鶴見さんの活き活きとした知的関心を、現代の新たな読者にもぜひ受け止めていただきたいと考え、芳賀さんの講演録と合わせて刊行します。

藤原書店編集部

著者紹介

鶴見和子（つるみ・かずこ）

1918年生まれ。上智大学名誉教授。専攻・比較社会学。1939年津田英学塾卒業後、41年ヴァッサー大学哲学修士号取得。66年プリンストン大学社会学博士号を取得。論文名 *Social Change and the Individual: Japan before and after Defeat in World War II* (Princeton Univ.Press, 1970)。69年より上智大学外国語学部教授、同大学国際関係研究所員（82-84年、同所長）。95年南方熊楠賞受賞。99年度朝日賞受賞。

15歳より佐佐木信綱門下で短歌を学び、花柳徳太郎のもとで踊りを習う（20歳で花柳徳和子を名取り）。1995年12月24日、自宅にて脳出血に倒れ、左片麻痺となる。2006年7月歿。

著書に『コレクション　鶴見和子曼荼羅』（全9巻）『歌集　回生』『歌集　花道』『歌集　山姥』『南方熊楠・萃点の思想』『鶴見和子・対話まんだら』『「対話」の文化』『いのちを纏う』『遺言〈増補新版〉』（以上、藤原書店）など多数。2001年9月には、その生涯と思想を再現した映像作品『回生　鶴見和子の遺言』を藤原書店から刊行。

好奇心と日本人——多重構造社会の理論

2020年8月10日　初版第1刷発行©

著　者　鶴見和子
発行者　藤原良雄
発行所　株式会社 藤原書店

〒162-0041　東京都新宿区早稲田鶴巻町523
電　話　03（5272）0301
FAX　03（5272）0450
振　替　00160 - 4 - 17013
info@fujiwara-shoten.co.jp

印刷・製本　中央精版印刷

落丁本・乱丁本はお取替えいたします
定価はカバーに表示してあります

Printed in Japan
ISBN978-4-86578-279-0

珠玉の往復書簡集

邂逅（かいこう）

多田富雄＋鶴見和子

脳出血に倒れ、左片麻痺の身体で驚異の回生を遂げた社会学者と、半身の自由と声とを失いながら、脳梗塞からの生還を果たした免疫学者。病前、一度も相まみえることのなかった二人の巨人が、今、病を共にしつつ、新たな思想の地平へと踏み出す奇跡的な知の交歓の記録。

B6変上製　二三二頁　**二二〇〇円**
（二〇〇三年五月刊）
◇978-4-89434-340-5

強者の論理を超える

曼荼羅の思想

頼富本宏＋鶴見和子

体系なき混沌とされてきた南方熊楠の思想を「曼荼羅」として読み解いた社会学者・鶴見和子と、密教学の第一人者・頼富本宏が、数の論理、力の論理が支配する現代社会の中で、異なるものが異なるままに共に生きる「曼荼羅の思想」の可能性に向け徹底討論。

カラー口絵四頁
B6変上製　二〇〇頁　**二二〇〇円**
（二〇〇五年七月刊）
在庫僅少◇978-4-89434-463-1

着ることは、"いのち"を纏うことである

いのちを纏（まと）う

〈色・織・きものの思想〉

志村ふくみ＋鶴見和子

長年"きもの"三昧を尽してきた社会学者と、植物染料のみを使って"色"の真髄を追究してきた人間国宝の染織家。植物のいのちの顕現（けげん）としての"色"の思想と、魂の依代（よりしろ）としての"きもの"の思想とが火花を散らし、失われつつある日本のきもの文化を、最高の水準で未来に向けて拓く道を照らす。

カラー口絵八頁
四六上製　二五六頁　**二八〇〇円**
（二〇〇六年四月刊）
在庫僅少◇978-4-89434-509-6

「人生の達人」と「障害の鉄人」、初めて出会う

米寿快談

〈俳句・短歌・いのち〉

金子兜太＋鶴見和子
編集協力＝黒田杏子

反骨を貫いてきた戦後俳句界の巨星、金子兜太。脳出血で斃れてのち、短歌で思想を切り拓いてきた鶴見和子。米寿を前に初めて出会った二人が、定型詩の世界に自由闊達に遊び、語らう中で、いつしか生きることの色艶がにじみだす、円熟の対話。

口絵八頁
四六上製　二九六頁　**二八〇〇円**
（二〇〇六年五月刊）
◇978-4-89434-514-0